150

D1438025

L'ÉCOLE DES FEMMES

ŒUVRES D'ANDRÉ GIDE *nrf*

POÉSIES

LES CAHIERS ET LES POÉSIES D'ANDRÉ WALTER.

LES NOURRITURES TERRESTRES. — LES NOUVELLES NOURRITURES.

AMYNTAS.

SOTIES

LES CAVES DU VATICAN.

LE PROMÉTHÉE MAL ENCHAÎNÉ. PALUDES.

RÉCITS

ISABELLE.
LA SYMPHONIE PASTORALE.

L'ÉCOLE DES FEMMES, *suivi de* ROBERT *et de* GENEVIÈVE.

THÉSÉE.

ROMAN

LES FAUX-MONNAYEURS.

DIVERS

LE VOYAGE D'URIEN.
LE RETOUR DE L'ENFANT PRODIGUE.
SI LE GRAIN NE MEURT.
VOYAGE AU CONGO.
LE RETOUR DU TCHAD.
MORCEAUX CHOISIS.
CORYDON.
INCIDENCES.
DIVERS.
JOURNAL DES FAUX-MONNAYEURS.
SOUVENIRS DE LA COUR D'ASSISES.
RETOUR DE L'U. R. S. S.
RETOUCHES A MON RETOUR DE L'U. R. S. S.
PAGES DE JOURNAL 1929-1932.

NOUVELLES PAGES DE JOURNAL.
JOURNAL 1889-1939 (1 vol., *Biblio-thèque de la Pléiade*).
DÉCOUVRONS HENRI MICHAUX.
JOURNAL 1939-1942.
JOURNAL 1942-1949.
L'AFFAIRE REDUREAU.
LA SÉQUESTRÉE DE POITIERS.
INTERVIEWS IMAGINAIRES.
AINSI SOIT-IL OU LES JEUX SONT FAITS.
LITTÉRATURE ENGAGÉE, *textes réunis et présentés par Yvonne Davet*.
ŒUVRES COMPLÈTES (15 VOL.).

THÉÂTRE

THÉÂTRE (Saül, le roi Candaule, Œdipe, Perséphone, le Treizième Arbre).

LES CAVES DU VATICAN, *farce d'après la sotie du même auteur*.

LE PROCÈS,
en collaboration avec J.-L. Barrault, d'après le roman de Kafka.

CORRESPONDANCE

CORRESPONDANCE AVEC FRANCIS JAMMES (1893-1938). (*Préface et notes de Robert Mallet*.)

CORRESPONDANCE AVEC PAUL CLAUDEL (1899-1926). (*Préface et notes de Robert Mallet*.)

CORRESPONDANCE AVEC PAUL VALÉRY (1890-1942). (*Préface et notes de Robert Mallet*.)

ANTHOLOGIE DE LA POÉSIE FRANÇAISE. (1 vol., *Bibliothèque de la Pléiade*.)

ROMANS, RÉCITS ET SOTIES. ŒUVRES lyriques. (*Bibliothèque de la Pléiade*.)

Chez d'autres éditeurs :

DOSTOIEVSKY (Plon).
ESSAI SUR MONTAIGNE (J. Schiffrin) (*Épuisé*).
NUMQUID ET TU? (J. Schiffrin) (*Épuisé*).
L'IMMORALISTE (Mercure de France).
LA PORTE ÉTROITE (Mercure de France).

PRÉTEXTES (Mercure de France).
NOUVEAUX PRÉTEXTES (Mercure de France).
OSCAR WILDE (In Memoriam — De Profundis) (Mercure de France).
UN ESPRIT NON PRÉVENU (Kra).

Parus dans Le Livre de Poche :

LA PORTE ÉTROITE.
ISABELLE.
L'IMMORALISTE.

LES CAVES DU VATICAN.
LES FAUX-MONNAYEURS.
LA SYMPHONIE PASTORALE.

LES NOURRITURES TERRESTRES.

ANDRÉ GIDE

L'École des femmes

suivi de

ROBERT *et de* GENEVIÈVE

GALLIMARD

L'ÉCOLE DES FEMMES

A
EDMOND JALOUX
en amical souvenir
de nos conversations de 1896.

1er août 1928.

Monsieur,

Après bien des hésitations, je me décide à vous envoyer ces cahiers, copie dactylographiée du Journal que m'a laissé ma mère. Elle mourut le 12 octobre 1916 à l'hôpital X..., où depuis cinq mois elle donnait ses soins aux contagieux.

Je ne me suis permis d'y changer que les noms propres. Je vous laisse libre de publier ces pages si vous pensez que leur lecture puisse n'être pas sans profit pour quelques jeunes femmes. Dans ce cas, L'École des Femmes serait un titre qui me plairait assez, si vous n'estimez pas indécent de s'en servir après Molière. Il va sans dire que les mots « première partie, seconde partie, épilogue » sont rajoutés par moi.

Ne cherchez pas à me connaître et permettez-moi de ne pas signer cette lettre de mon vrai nom.

GENEVIÈVE D...

PREMIÈRE PARTIE

Mon ami,

Il me semble que c'est à toi que j'écris. Je n'ai jamais
tenu de journal. Je n'ai même jamais rien su écrire que
quelques lettres. Et je t'en écrirais sans doute si je ne te
voyais pas tous les jours. Mais si je dois mourir la première
(ce que je souhaite, car la vie sans toi ne me paraît plus
qu'un désert), tu liras ces lignes; il me semblera, te les
laissant, te quitter un peu moins. Mais comment songer à
la mort quand nous avons devant nous toute la vie ?
Depuis que je te connais, c'est-à-dire depuis que je t'aime,
la vie me paraît si belle, si utile, si précieuse que je n'en
veux rien laisser perdre; je sauverai dans ce cahier toutes
les miettes de mon bonheur. Et que ferais-je chaque jour,
après que tu m'as quittée, sinon revivre des instants
écoulés trop vite, évoquer ta présence ? Avant de t'avoir
rencontré je souffrais, je te l'ai dit, de sentir ma vie sans
emploi. Rien ne me semblait plus vain que ces occupations
mondaines où m'entraînaient mes parents et où je vois

mes amies prendre tout leur plaisir. Une vie sans dévouement, sans but, ne pouvait pas me satisfaire. Tu sais que
j'ai sérieusement songé à me faire garde-malades ou petite
sœur des pauvres. Mes parents haussaient les épaules
lorsque je leur parlais de cela. Ils avaient raison de penser
que toutes ces velléités céderaient lorsque j'aurais rencontré celui dont mon âme pourrait s'éprendre. Pourquoi
papa ne veut-il pas admettre aujourd'hui que celui-là, ce
soit toi ? Tu vois comme j'écris mal. Cette phrase que
j'écris en pleurant me semble affreuse. Aussi pourquoi
l'ai-je relue ? Je ne sais si j'apprendrai jamais à bien écrire.
En tout cas ce ne sera pas en m'appliquant.

Je disais donc qu'avant de t'avoir rencontré je cherchais un but à ma vie et maintenant tu es mon but, mon
occupation, ma vie même et je ne cherche plus que toi.
Je sais que c'est à travers toi, par toi, que je puis obtenir
de moi le meilleur; que tu dois me guider, me porter
vers le beau, vers le bien, vers Dieu. Et je demande à
Dieu de m'aider à vaincre la résistance de mon père; et,
comme pour la rendre plus efficace, j'écris ici ma fervente
prière : Mon Dieu, ne me forcez pas à désobéir à papa.
Vous savez que c'est Robert que j'aime, et que je ne pourrai jamais être qu'à lui.

A vrai dire, ce n'est que depuis hier que je comprends
quel peut être le but de ma vie. Oui, ce n'est que depuis
cette conversation, dans le jardin des Tuileries, où il m'a
ouvert les yeux sur le rôle de la femme dans la vie des
grands hommes. Je suis si ignorante que j'ai malheureusement oublié les exemples qu'il m'a donnés; mais j'ai du

moins retenu ceci : c'est que ma vie entière doit être désormais consacrée à lui permettre d'accomplir sa glorieuse destinée. Naturellement ce n'est pas là ce qu'il m'a dit, car il est modeste; mais c'est ce que j'ai pensé, car je suis orgueilleuse pour lui. Je crois du reste que, malgré sa modestie, il a une conscience très nette de sa valeur. Il ne m'a pas caché qu'il était très ambitieux.

— Ce n'est pas que je tienne à parvenir, — m'a-t-il dit avec un sourire charmant; — mais je tiens à faire réussir les idées que je représente.

J'aurais voulu que mon père pût l'entendre. Mais papa est si buté à l'égard de Robert qu'il aurait pu voir là ce qu'il appelle de... Non ! je ne veux pas même l'écrire. Comment ne comprend-il pas que par de telles paroles ce n'est pas à Robert qu'il fait du tort mais à lui ? Ce que j'aime en Robert précisément, c'est qu'il n'ait pas de complaisance envers lui-même, qu'il ne perde jamais de vue ce qu'il se doit. Près de lui il me semble que tous les autres ignorent ce que l'on peut vraiment appeler : dignité. Il ne tiendrait qu'à lui de m'en écraser mais, lorsque nous sommes seuls, il a souci de ne me la faire jamais sentir. Même je trouve que parfois il exagère un peu lorsque, par crainte que je ne me sente trop petite fille auprès de lui, il s'amuse à faire lui-même l'enfant. Comme je le lui reprochais hier, il a pris soudain un air très grave et a murmuré avec une sorte de nostalgie ravissante :

— L'homme n'est qu'un enfant vieilli, — en reposant sa tête sur mes genoux car il s'était assis à mes pieds.

Il serait vraiment lamentable que tant de mots charmants, si profonds parfois, si chargés de sens, soient

perdus. Je me promets d'en noter ici le plus grand nombre
possible. Il aura plaisir à les retrouver plus tard, j'en suis
sûre.

C'est tout de suite après que nous avons eu l'idée du
journal. Et je ne sais pourquoi je dis : nous. Cette idée,
comme toutes les bonnes, c'est lui qui l'a eue. Bref, nous
nous sommes promis d'écrire tous deux, c'est-à-dire
chacun de notre côté, ce qu'il a appelé : *notre* histoire.
Pour moi c'est facile car je n'existe que par lui. Mais
quant à lui, je doute qu'il y parvienne, lors même que le
temps ne lui manquerait pas. Et même je trouverais mauvais d'occuper par trop sa pensée. Je lui ai longuement
dit que je comprenais qu'il avait sa carrière, sa pensée, sa
vie publique, que ne devait pas se permettre d'encombrer
mon amour; et que, s'il devait être toute ma vie, je ne
pouvais pas, je ne devais pas être toute la sienne. Je serais
curieuse de savoir ce qu'il a noté de tout cela dans son
journal; mais nous avons fait un grand serment de ne
pas nous le montrer l'un à l'autre.

— C'est à ce prix seulement qu'il peut être sincère, —
m'a-t-il dit en m'embrassant, non pas sur le front mais
exactement entre les yeux, comme il fait volontiers.

Par contre, nous sommes convenus que celui de nous
deux qui mourrait le premier léguerait son journal à
l'autre.

— C'est assez naturel, — ai-je dit un peu sottement.

— Non, non, — a-t-il repris sur un ton très grave. —
Ce qu'il faut se promettre c'est de ne pas le détruire.

Tu souriais quand je disais que je ne saurais pas quoi

y mettre, dans ce journal. Et en effet voici que j'en ai déjà rempli quatre pages. J'ai bien du mal à me retenir de les relire; mais, si je les relisais, j'aurais plus de mal encore à me retenir de les déchirer. Ce qui m'étonne, c'est le plaisir que déjà je commence à y prendre.

12 *octobre* 1894.

Robert a été brusquement appelé à Perpignan auprès de sa mère dont il a reçu d'assez mauvaises nouvelles.

— J'espère que cela ne sera rien, — lui ai-je dit.

— On dit toujours cela, — a-t-il répliqué avec un grave sourire qui laissait voir combien au fond il était préoccupé. Et je m'en suis voulu tout aussitôt de ma phrase absurde.

S'il fallait enlever de ma vie tous les gestes, de ma conversation toutes les phrases, que je dis et que je fais par banalité, que resterait-il ? Et dire qu'il a fallu le contact d'un homme supérieur pour me faire m'en apercevoir ! Ce que j'admire en Robert, c'est précisément qu'il ne dit rien et ne fait rien comme n'importe qui; et, avec cela, rien en lui de prétentieux, de recherché. J'ai longtemps cherché le mot qui convenait pour caractériser son aspect, ses vêtements, ses propos, ses gestes; « original » est trop marqué; « particulier »... « spécial »... Non; c'est au mot « distingué » que je reviens; et je voudrais qu'on n'eût employé ce mot pour nul autre. Cette extraordinaire distinction de tout son être et de ses manières, je pense qu'il ne la doit qu'à lui-même, car il m'a laissé entendre que

sa famille était assez vulgaire. Il dit qu'il ne rougit pas
de ses parents : mais ceci même laisse entendre qu'une
nature moins droite et moins noble pourrait en rougir.
Son père était, je crois, dans le commerce. Robert était
très jeune encore quand il l'a perdu. Il n'en parle pas
volontiers et je n'ose l'interroger. Je crois qu'il aime
beaucoup sa mère.

— C'est d'elle seule que vous auriez raison d'être
jalouse, m'a-t-il dit lorsque nous ne nous tutoyions pas
encore. Il avait une sœur plus jeune que lui, qui est morte.

Je veux profiter de son absence et du temps qu'elle me
laisse, pour conter ici comment nous nous sommes connus.
Maman voulait m'entraîner chez les Darblez qui donnent
un thé où l'on doit entendre un violoncelliste hongrois
extrêmement remarquable, paraît-il; mais j'ai prétexté une
violente migraine pour qu'on me laisse tranquille et seule...
avec Robert. Je ne comprends plus comment j'ai pu me
laisser prendre si longtemps aux « plaisirs du monde »,
ou plutôt je ne comprends que trop que ce que j'en aimais
c'était ce qui flattait ma vanité. A présent que je ne cherche
plus que l'approbation de Robert, peu m'importe de
plaire aux autres, ou c'est à cause de lui et pour le plaisir
que je vois bien qu'il en éprouve. Mais, en ce temps si
proche et qui me paraît déjà si lointain, quel prix n'atta-
chais-je pas aux sourires, aux approbations, aux éloges, à
l'envie même et à la jalousie de quelques compagnes après
que, sur un second piano, j'eus (et assez brillamment, j'en
conviens) tenu la partie de l'orchestre dans le cinquième
concerto de Beethoven tandis que Rosita exécutait le solo !
Je faisais la modeste, mais combien j'étais flattée de

recevoir plus de félicitations qu'elle ! « Rosita, ça n'a rien
d'étonnant; c'est une professionnelle; mais Éveline... »
Ceux qui applaudissaient le plus étaient des gens qui
n'entendaient rien à la musique. Je le savais, mais acceptais
leurs louanges dont j'aurais dû sourire... Je pensais même :
« Après tout, ils ont plus de goût que je ne croyais. »
C'est ainsi que je me prêtais à cette parade absurde... Si;
je vois bien l'amusement qu'on y peut prendre : c'est
celui de la moquerie. Mais, dans une société, c'est toujours moi qui me parais le plus ridicule. Je sais que je
ne suis ni très jolie ni très spirituelle, et ne comprends
pas bien ce que Robert a pu trouver en moi qui méritât
qu'il s'en éprenne. Je n'avais pour briller dans le monde
d'autre ressource que mon passable talent de pianiste, et,
depuis quelques jours, j'ai abandonné le piano, défini-
tivement sans doute. A quoi bon ? Robert n'aime pas la
musique. C'est le seul défaut que je lui connaisse. Mais,
par contre, il s'intéresse si intelligemment à la peinture
que je m'étonne qu'il n'en fasse pas lui-même. Comme je
le lui disais, il a souri et m'a expliqué que lorsqu'on était
« affligé » (c'est le terme dont il s'est servi) de dons trop
divers, la grande difficulté était de ne pas accorder trop
d'importance à ceux de ses dons qui méritaient le moins
d'en avoir. Pour s'occuper vraiment de la peinture, il
aurait dû sacrifier trop d'autres choses, et ce n'est pas en
peignant, m'a-t-il dit, qu'il estimait pouvoir rendre le plus
de services. Je crois qu'il veut faire de la politique, mais
il ne me l'a pas dit expressément. Du reste, quoi que ce
soit qu'il entreprenne, je suis certaine qu'il réussira. Et
même ce qui pourrait m'attrister un peu, c'est de sentir

qu'il a si peu besoin de mon aide pour réussir n'importe quoi. Mais il est si bon qu'il feint de ne pouvoir se passer de moi, et ce jeu m'est si doux que je m'y prête sans y croire.

Je me laisse entraîner à parler de moi, ce que je m'étais pourtant promis de ne pas faire. Combien l'abbé Bredel avait raison de nous mettre en garde contre les pièges de l'égoïsme qui sait prendre parfois, nous disait-il, le masque du dévouement et de l'amour. On aime à se dévouer, pour le plaisir de penser que l'on est utile, et l'on aime à l'entendre dire. Le parfait dévouement est celui qui ne serait connu que de Dieu et qui n'attendrait que de Lui le regard et la récompense. Mais je crois que rien n'enseigne mieux la modestie, que d'aimer quelqu'un de valeur. C'est auprès de Robert que je comprends le mieux ce qui me manque, et, le peu que je suis, je voudrais l'ajouter à lui... Mais j'étais partie pour raconter le début de *notre* histoire; et d'abord, comment nous nous sommes rencontrés.

C'était il y a six mois et trois jours, le 9 avril 1894. Mes parents m'avaient promis un voyage en Italie pour fêter mon prix au Conservatoire; la mort de mon oncle et les difficultés de sa succession, à cause des enfants mineurs, avaient retardé ce projet; et déjà j'y avais renoncé, lorsque mon père, tout à coup, laissant à Paris maman avec ses petites-nièces, m'emmena passer les vacances de Pâques à Florence. Nous étions descendus à la pension Girard, que madame de T. avait eu raison de nous recommander. Les pensionnaires étaient tous « de bonne société », de sorte qu'il n'était pas désagréable de se trouver

réunis à eux à la table commune. Trois Suédois, quatre
Américains, deux Anglais, cinq Russes et un Suisse. Nous
étions seuls Français avec Robert. On parlait toutes les
langues; mais surtout le français, à cause des Russes, du
Suisse, de nous trois, et d'un Belge que j'oubliais. Aucun
des convives n'était désagréable; mais la distinction de
Robert les éclipsait tous. Il était en face de mon père, qui
se tient un peu sur la réserve et souvent n'est pas très
aimable avec les gens qui ne sont pas de son milieu.
Comme nous étions les derniers arrivés, il était assez
naturel que nous ne nous mêlions pas aussitôt à la conversation. Pour moi, j'aurais bien voulu parler, mais il
n'était pas décent que je me montre plus aimable que
papa; j'imitais donc sa réserve, et, comme j'étais assise à
côté de lui, notre silence, dans l'animation générale, formait un petit îlot de froideur. L'amusant c'est que nous
ne pouvions aller nulle part sans rencontrer quelques
hôtes de la pension. Papa se voyait bien forcé de répondre
à leurs saluts et à leurs sourires, et, quand nous nous
mettions à table, tout le monde savait que nous revenions
de Santa-Croce ou du Palais Pitti. — « C'est insupportable », disait papa; mais tout de même sa glace fondait.
Quant à Robert, nous le retrouvions partout. En
entrant dans une église ou dans un musée, la première
chose que l'on voyait c'était Robert. — « Allons bon !
Encore... », s'écriait papa. Et d'abord, pour ne pas nous
gêner, Robert faisait semblant de ne pas nous voir, car
il était bien trop fin pour ne pas comprendre que ces
rencontres continuelles irritaient papa. Il attendait donc
que papa consentît à le reconnaître et ne saluait jamais

le premier, par discrétion, feignant d'être absorbé dans la contemplation d'un chef-d'œuvre. Et parfois le salut de papa se faisait attendre, car c'est vis-à-vis de Robert que papa affectait le plus de réserve. J'en étais même un peu gênée, car cette réserve était telle qu'elle frisait l'insolence, je puis bien le dire; et il fallait tout le bon naturel de Robert pour ne point s'en formaliser. Mais, comme je ne pouvais m'empêcher de sourire, il comprenait qu'il n'y avait pas là de mauvais vouloir, de ma part du moins. J'avais même beaucoup de mal à ne pas sourire, d'autant plus que papa se montrait plus froid; mais heureusement papa ne s'en rendait pas compte, car ceci se passait un peu derrière son dos. Robert avait le bon goût de ne pas montrer qu'il le voyait et de ne jamais m'adresser directement la parole, ce que papa aurait très mal pris. Je me reprochais un peu cette petite comédie qui déjà créait entre Robert et moi, à l'insu de papa, une muette correspondance. Mais quel moyen de l'éviter ?

Ce qui augmentait les réticences de papa, c'est que Robert « n'était pas dans ses idées ». Je n'ai jamais très bien compris quelles pouvaient être les idées de papa, car je n'entends rien à la politique, mais je sais que maman lui reproche ce qu'elle appelle son « matérialisme » et que papa n'aime pas beaucoup « les curés ». Quand j'étais plus jeune, je m'étonnais qu'il fût si bon, car il ne va jamais à la messe, et je ne crois pas très juste ce qu'il dit : que « la religion ne rend pas les gens meilleurs ». Maman trouve qu'il est « buté »; mais je crois qu'il a meilleur cœur qu'elle, et quand ils discutent ensemble, ce qui n'arrive que trop souvent, maman lui parle d'un tel ton

que c'est vers lui que va ma sympathie, même quand je
ne puis lui donner raison. Il dit qu'il ne croit pas au
Paradis; mais l'abbé Bredel riposte qu'il sera bien forcé
d'y croire quand il y sera, car il y ira tout droit et sera
sauvé malgré lui. C'est ce que je crois de tout mon cœur.

Que c'est triste, ces divisions, dans des ménages aussi
profondément unis que celui de mes parents ! et sur des
points où, avec un peu de bonne volonté, il serait si
facile de s'entendre ! En tout cas rien de pareil à craindre
avec Robert, car je ne l'ai jamais vu entrer dans une église
sans y prier et il n'a que des idées généreuses et nobles.
Je ne puis croire que *la Libre Parole* soit un « mauvais
journal», comme le dit papa, qui, lui, ne lit que *le Temps ;*
et j'ai cru que cela allait se gâter, le second jour, à la pension Girard, quand Robert et papa se sont trouvés seuls
en face l'un de l'autre dans le fumoir. La porte du salon
était grande ouverte et je pouvais les voir, chacun dans
un fauteuil avec son journal devant lui. Robert, après
avoir parcouru le sien, a eu l'imprudence de le tendre à
papa en lui disant quelques mots que je n'ai pu entendre;
mais papa est devenu si furieux qu'il a renversé sur son
pantalon clair la tasse de café qu'il avait posée sur le bras
de son fauteuil. Robert s'est beaucoup excusé, mais il n'y
avait vraiment pas de sa faute. Et, tandis que papa s'épon-
geait avec son mouchoir, Robert, qui m'avait aperçue
dans le salon, a dirigé vers moi une petite mimique très
discrète mais très expressive où il exprimait ses regrets,
si comiquement que je n'ai pu me retenir de rire et
me suis vite détournée, car j'avais l'air de me moquer
de papa.

Et voilà que, le sixième jour, papa a eu une crise de
goutte... Oh ! c'est affreux de se réjouir de cela !... Et
naturellement j'avais proposé de rester à la pension pour
lui tenir compagnie et lui faire la lecture, mais il faisait
très beau temps et c'est lui qui m'a forcée de sortir. Alors
j'ai profité de son absence pour aller voir la chapelle des
Espagnols, parce que lui n'aime pas beaucoup les primi-
tifs. Et naturellement j'ai retrouvé Robert là-bas et je
n'ai pas su faire autrement que de lui parler. Mais, après
qu'il s'est étonné de me voir seule et enquis très poliment
de la santé de papa, nous n'avons causé que de peinture.
J'étais presque heureuse de mon ignorance car c'était
une occasion pour lui de tout m'expliquer. Il avait avec
lui un gros livre, mais n'a pas eu besoin de l'ouvrir car
il sait par cœur le nom de tous ces vieux peintres. Je ne
parvenais pas à partager aussitôt sa prédilection pour des
fresques qui me paraissaient encore bien informes, mais
je sentais que tout ce qu'il m'en disait était juste, et mes
yeux s'ouvraient à beaucoup de qualités que je n'aurais
pas su apprécier toute seule. Et ensuite je me suis laissé
entraîner par lui au couvent de Saint-Marc, où il m'a
semblé que je comprenais la peinture pour la première
fois. C'était si merveilleux de se perdre et de s'oublier
dans une admiration commune que, devant la grande
fresque de l'Angelico, sans y songer je lui ai pris le bras,
ce dont je ne me suis aperçue que lorsque du monde est
entré dans la petite chapelle, où jusqu'à ce moment nous
étions demeurés seuls. D'ailleurs Robert ne disait rien
que papa n'aurait pu entendre; mais pourtant, à mon
retour à la pension, je n'ai pas osé parler à papa de cette

rencontre. Sans doute était-ce mal de lui cacher ce qui me laissait un tel souvenir que je ne pouvais plus penser à rien d'autre. Mais quand, un peu plus tard, je me suis accusée devant l'abbé de ce « mensonge par omission » il m'a plutôt rassurée; il est vrai que je lui apprenais en même temps mes fiançailles. L'abbé sait que papa ne les approuve pas, mais il sait aussi que ce qui l'empêche de les approuver ce sont les opinions de Robert, et ce sont ces opinions précisément qui font que maman et que l'abbé les approuvent. Papa, du reste, est si bon qu'il n'a pas su résister longtemps, et, comme il dit, ce qui lui importe avant tout, c'est que je sois heureuse; et il ne peut douter de mon bonheur.

Avant de parler de fiançailles j'aurais dû raconter les derniers jours en Italie; mais j'ai laissé courir ma plume, vite, jusqu'à ce mot merveilleux devant lequel tous mes autres souvenirs pâlissent. Avant de quitter Florence, Robert avait demandé à papa la permission de revenir nous voir à Paris. J'avais tellement peur que papa ne refuse ! Mais il se trouve que Robert connaît très bien nos cousins de Berre, qui nous ont invités à dîner avec lui, ce qui a beaucoup facilité les choses. Le lendemain Robert venait présenter ses hommages à maman, et, quelques jours après, il revenait pour lui demander ma main. (Comme cette locution me paraît stupide !) Maman a été d'abord un peu surprise, et je l'ai été bien plus encore lorsqu'elle m'en a parlé, car Robert ne m'avait pas encore vraiment fait de déclaration. Il a beaucoup ri quand je lui ai avoué cela et m'a « déclaré » qu'il n'y avait pas pensé, mais qu'il était tout prêt à me faire cette « déclaration » si je n'avais pas encore compris qu'il m'aimait. Puis il m'a prise dans ses bras et j'ai senti que moi non plus je n'avais pas besoin de parler pour qu'il comprît que je me donnais à lui tout entière.

On vient d'apporter une dépêche. J'ai laissé maman l'ouvrir, bien qu'elle me fût adressée.

« La mère de Robert est morte », m'a-t-elle dit, et elle m'a tendu la dépêche où je n'ai vu qu'une chose, c'est qu'il me revient mercredi.

13 octobre.

Une lettre de Robert ! Mais c'est à maman qu'il écrit ! et je crois qu'elle a été sensible à cette marque de déférence. Je comprends que maman désire la conserver, cette lettre, car elle est très belle; et comme je veux pouvoir la relire, je la copie :

MADAME,

Éveline me pardonnera si c'est à vous aujourd'hui que j'écris plutôt qu'à elle. Je voudrais épargner à sa joie le spectacle de ma tristesse, et c'est vers vous que je me tourne pour pleurer. Ce beau nom de *mère*, depuis hier, je ne peux plus le donner qu'à vous seule. Vous permettrez donc sans doute que désormais je reporte sur vous les sentiments respectueux et tendres que j'avais pour celle que je viens de perdre.

Oui, celle qui m'avait donné le jour est morte hier,

et je puis dire : entre mes bras. Elle n'a perdu sa connaissance que quelques heures avant sa fin. Elle l'avait encore
le matin, lorsqu'elle a reçu les derniers sacrements de la
main du prêtre que j'avais fait appeler. Elle envisageait
la mort avec calme et ne semblait souffrir que de mon
propre chagrin. Sa dernière joie, me disait-elle, a été
d'apprendre mes fiançailles et de songer qu'elle ne me
laissait pas seul sur la terre. Veuillez le redire à Éveline,
et que mon éternel regret sera que maman n'ait pas pu
la connaître.

Agréez, mère, je vous prie, l'assurance de mon déjà
filial et toujours respectueux dévouement.

ROBERT D.

Mon pauvre ami, je voudrais m'associer à ta tristesse.
J'ai tâché d'avoir du chagrin; mais en vain. Mon cœur
est tout noyé de joie, et tout ce que je ressens avec toi,
même la peine, m'est un bonheur.

15 *octobre.*

Je l'ai revu. Comme sa douleur est digne et belle ! Je
commence à le comprendre mieux. Je crois qu'il a horreur
des phrases toutes faites, car il a pour me parler de son
deuil la même réserve qu'il avait pour me déclarer son
amour. Et même, par crainte de laisser paraître son
émotion, il évite tout ce qui pourrait l'attendrir. Il n'a
même été question entre nous que de questions maté-

rielles, et avec maman que de règlement de succession et
de la vente que Robert veut faire de la propriété qui lui
revient. Il m'est très difficile d'attacher mon esprit à ces
choses et je laisse maman s'en occuper avec Robert. J'ai
compris que nous serions riches, et je le regrette presque :
je voudrais laisser la fortune à ceux qui ont besoin d'argent
pour être heureux. Mais il ne s'agit pas ici de bonheur.
Robert me dit qu'il aurait toujours assez pour lui-même
et qu'il ne considère l'argent que comme une arme pour
faire triompher ses idées. Il a eu un long entretien avec
l'abbé Bredel, qui dit aussi qu'on n'a pas le droit de re-
pousser la fortune, mais qu'avec elle nous incombe le
devoir de l'employer pour le bien.

Pauvre papa ! Tout ceci se passe en dehors de lui.
Chaque fois qu'il voit entrer l'abbé Bredel :

— Désolé !... Absolument forcé de partir... — dit-il
très vite en esquissant un rapide salut.

J'ai toujours peur que l'abbé ne se froisse; mais il est
si bon, si conciliant, qu'il feint de prendre au sérieux
cette piètre excuse.

— Monsieur Delaborde est toujours aussi occupé, —
dit-il à maman, qui répare de son mieux l'impertinence
en redoublant d'amabilité. Et il me semble qu'avec un
peu de bonne volonté papa pourrait si bien s'entendre
avec l'abbé ! Car il est très bon lui aussi.

— Ma petite enfant, les curés et moi nous n'adorons
pas le même Dieu, — me répond-il lorsque je tâche de
le convaincre. — N'insiste pas, tu me fâcherais. Ce sont
des choses que peut-être tu comprendras plus tard, si tu
ne ressembles pas trop à ta maman.

Alors je suis bien forcée de lui dire que « ces choses »,
je souhaite de ne jamais les comprendre, mais que je ne
puis approuver les opinions qui divisent des parents que
j'aime également. Ce sont bien aussi ces malheureuses
opinions qui retiennent papa d'approuver mes fiançailles.

— Mon enfant, — me dit-il, — je ne me reconnais
pas le droit de m'opposer à ce mariage et il ne me plaît
pas de faire acte d'autorité. Mais ne me demande pas
d'approuver une décision que je regrette. Tout ce que je
peux faire c'est de souhaiter que tu n'aies pas bientôt à
t'en repentir.

19 octobre.

Ce matin, j'ai demandé à papa ce qu'il reprochait à
Robert. Il m'a longuement regardée et a d'abord serré
les lèvres sans rien dire, puis :

— Mon enfant, je ne lui reproche rien. Simplement,
il ne me plaît pas. Si je te disais pourquoi, tu protesterais,
parce que tu l'aimes; et quand on aime quelqu'un, on ne
le voit plus comme il est.

— Mais c'est parce que Robert est comme il est, que
je l'aime ! — me suis-je écriée.

— Robert donne le change à l'abbé, à ta mère, à toi,
et, je le crains bien, à lui-même aussi, ce qui est encore
plus grave !

— Tu veux dire qu'il ne croit pas ce qu'il dit ?

— Mais si, mais si; je crois qu'il y croit. C'est moi qui
n'y crois pas.

— D'abord, toi, papa, tu ne crois à rien.

— Que veux-tu ? Je suis ce que ta mère appelle un sceptique.

Et nous en restons là, car de telles conversations ne servent qu'à nous attrister tous les deux. Pauvre papa ! Je compte sur Robert pour le convaincre... avec le temps. Il se montre avec papa si patient, si souple, si adroit... Il a soin d'éviter tous les sujets de conteste (papa aussi du reste). Il appelle une conversation avec papa : la danse des œufs, parce qu'il faut pirouetter habilement parmi les sujets délicats en tâchant de ne pas les frôler. Mais comme je voudrais parfois que papa puisse l'entendre lorsqu'il me parle, lorsqu'il parle quand papa n'est pas là ! Devant papa, je sens qu'il s'observe; mais, dès qu'il se laisse aller, toute sa personne s'anime et il lui arrive de dire des choses si belles que je voudrais les écrire aussitôt. Et il peut être avec cela si spirituel, si drôle... Comme disait Yvonne de Berre l'autre jour : « On ne peut se lasser de l'entendre. » C'était jeudi dernier; nous avions déjeuné avec Robert chez nos cousins. Maurice de Berre et papa sont sortis aussitôt après le repas; alors Robert nous a longuement parlé de Perpignan, des petites rivalités de la vie de province qu'il a si bien pu voir, de tout ce milieu dans lequel il a vécu et où il dit qu'il ne voudrait revivre pour un empire. A l'entendre parler de tous ces gens bizarres qui formaient la société de ses parents, il me donne le regret de ne les avoir pas connus; mais je comprends que, pour un esprit supérieur comme celui de Robert, une telle compagnie soit étouffante. Par désir d'échapper à cette atmosphère il voulait d'abord entrer dans les ordres,

car il est de nature très pieuse; puis il a compris qu'il
pourrait faire plus de bien en se mêlant à la vie active.
L'abbé Bredel l'approuve, et je pense avec lui qu'une telle
lumière ne doit pas être « mise sous le boisseau », comme
il dit en citant l'Évangile. Lorsqu'on écoute parler Robert
on souhaite irrésistiblement que beaucoup puissent l'entendre. Sur ce point je ne puis être jalouse et le désir d'être
seule à jouir de ce trésor me semblerait impie. Le but de
ma vie doit être de l'aider de toutes mes forces à se produire.

La semaine prochaine nous devons faire ensemble
quelques visites. Je me réjouis de le présenter à nos
amis.

26 octobre.

Je mène depuis quelques jours une vie si agitée...
J'espérais trouver chaque jour un peu de temps pour
écrire dans ce carnet. Mais ce n'est pas seulement le temps
qui me manque. Même aux instants où je me retrouve
seule, je ne parviens plus à ce recueillement qui permette
à mes pensées de se poser. Un tourbillon m'emporte :
visites, courses, dîners, spectacles, où heureusement
Robert ne craint pas de m'accompagner malgré son deuil
car, comme il dit, les sentiments sincères n'ont que faire
des convenances, et je crois du reste que le bonheur de
se sentir aimé l'emporte sur sa tristesse. Il m'accompagne
chez les fournisseurs et commande pour moi quantité
d'objets dont il cherche à me persuader que nous aurons

le plus grand besoin. Cela l'amuse tant et sa joie de me
gâter est si manifeste que je ne cherche pas trop à l'arrêter.
Nous avons choisi ensemble un amour de bague qui,
je dois l'avouer, m'a fait le plus vif plaisir et que je ne
me lasse pas d'admirer. Mais quand il a voulu me
donner aussi un bracelet, j'ai nettement refusé, malgré
ce qu'il a pu me dire pour me pousser à l'accepter :
que l'achat des bijoux ne devait pas être considéré
tant comme une dépense que comme « un placement » :
c'est le mot dont il s'est servi ; puis il m'a expliqué
que les pierres et les métaux précieux étaient « appelés
à augmenter de valeur ». J'ai protesté que cela m'était
parfaitement égal, et là-dessus nous nous sommes un
peu disputés. Sans doute n'était-il pas très gentil de ma
part de lui dire que ma bague me ferait autant de plaisir,
même si je ne savais pas qu'elle avait coûté très cher;
alors il s'est écrié :

— Autant avouer qu'on préfère la camelote.

Puis, comme toujours, et c'est ce qu'il y a de si inté-
ressant avec lui, il a élargi la question et l'a envisagée au
« point de vue général », qui seul lui importe :

— On imite aujourd'hui les perles si bien que tout
le monde peut s'y tromper, — m'a-t-il expliqué; — mais
les vraies perles représentent une fortune et les autres
n'ont que l'apparence de la valeur.

Il tient à assister à l'essayage de mes robes parce qu'il
a un goût merveilleux et que cela l'amuse de discuter
avec les couturiers. Mes chapeaux également, nous avons
été les choisir ensemble. J'ai beaucoup de mal à me faire
aux formes nouvelles. Robert trouve qu'elles me coiffent

très bien; mais quand je me regarde dans la glace je me
trouve méconnaissable. Mais je crois que c'est une affaire
d'habitude et que bientôt, comme il dit, c'est mon visage
de jeune fille que je ne reconnaîtrai plus. En général je
trouve ce qu'il choisit beaucoup trop beau; mais je comprends qu'il tienne à ce que je lui fasse honneur et que
déjà je n'ai plus le droit d'être modeste. L'abbé sait que
mon cœur le reste et me dit que cela seul importe. Chaque
jour à nouveau je m'étonne et je ne cesse pas de me croire
indigne de mon bonheur. Je crains parfois que Robert
ne découvre combien il surfait mes mérites. Mais peut-
être, à force d'amour, parviendrai-je à m'élever jusqu'à
lui. De tout mon cœur je le souhaite et je m'y efforce sans
cesse. Il m'y aide si patiemment !

                                        30 octobre.

Robert est stupéfiant, il est en relations avec un tas de
gens célèbres et connaît du monde dans tous les milieux.
Cela lui permet de rendre service à ceux qui s'adressent
à lui; et, comme on le sait très obligeant, on ne s'en fait
pas faute. Il dit qu'une grande sagesse dans la vie c'est de
ne jamais demander rien qu'on ne soit pas certain d'obtenir. Mais, comme ceux qu'il a obligés ne lui refusent rien
et qu'il ne demande que des choses justes, il obtient
aisément tout ce qu'il veut. Il a ses entrées partout et je
ne vais avec lui nulle part sans voir aussitôt des mains se
tendre vers lui. Je lui ai demandé de ne me présenter que
ses amis véritables; mais il est difficile, dès qu'on le

connaît un peu, de ne pas devenir son ami et, comme il est au courant de tout, il est capable de parler à n'importe qui de n'importe quoi comme si c'était spécialement sa partie. A vrai dire, je ne crois pas qu'il ait d'amis intimes. Je le lui ai demandé l'autre jour. Il ne m'a pas répondu directement mais m'a dit, en me pressant tendrement contre lui : — L'amitié, c'est l'antichambre de l'amour.

Et, en effet, il me paraît aujourd'hui que cette grande amitié que j'avais hier encore pour Rosita et pour Yvonne n'était que provisoire et que mon premier véritable ami, c'est Robert.

Il veut faire à papa la surprise de le faire décorer. Comme il connaît très bien le chef de cabinet du ministre de l'Instruction publique, il affirme que cela lui sera très facile. Papa ne refusera certainement pas, et je crois qu'au fond cela lui fera grand plaisir. Je trouve très joli que Robert songe à papa et ne demande pas la croix pour lui-même, mais il n'y attache pas d'importance et sait qu'il l'aura quand il voudra. En l'écoutant causer avec les gens remarquables auxquels il me présente je prends conscience de mon ignorance; j'ose à peine me mêler à la conversation tant j'ai peur de lui faire honte. Je lui ai demandé de m'écrire une liste des livres que je devrais connaître et, sitôt que j'aurai un peu de temps... Mais quand sera-ce ? Nous avons décidé de nous marier à la fin de janvier. Cela me semble terriblement loin, et pourtant les jours fuient avec une rapidité confondante. Sitôt après le mariage nous devons partir pour la Tunisie. Ce ne sera pas seulement un voyage d'agrément. Robert a là-bas des intérêts dans une entreprise agricole, qu'il

veut surveiller. Il dit qu'il n'y a pas de plus grand plaisir
que celui dont on peut tirer parti. Son esprit ne reste
jamais inactif. Il s'instruit sans cesse et sait tourner tout
à profit.

La grande question qui nous préoccupe, c'est celle du
logement. Nous avons visité un grand nombre d'apparte-
ments, mais à chacun d'eux, maman, Robert ou moi,
nous trouvons quelque chose à redire. Je crois que nous
allons nous entendre avec un architecte que Robert
connaît très bien. Il achève de faire construire un immeuble
très bien situé, dans le quartier de la Muette, avec vue
sur de grands jardins. Nous serions propriétaires du
dernier étage, ce qui nous permettrait de l'aménager à
notre guise. Nous passons ensemble des heures à discuter
les plans et rien n'est plus amusant. Robert qui, tant que
sa mère vivait, n'était pas bien riche, se contentait depuis
trois ans d'un petit rez-de-chaussée avenue d'Antin où
il se trouvait de plus en plus à l'étroit. Il devait prendre
ses repas au restaurant, ce qui lui faisait perdre beaucoup
de temps et fatiguait son estomac. J'ai demandé à voir
son installation, qu'il était, je crois, un peu confus de
me montrer. Pourtant je me suis étonnée de ne pas y
trouver plus de désordre. Tous ses papiers se trouvent
classés dans des chemises ou des dossiers et il a inventé
un extraordinaire système de fiches qui lui permet d'avoir
tout de suite, sur n'importe qui, tous les renseignements
dont il a besoin. C'est comme cela qu'il peut si facilement
rendre service. Il trouve que les gens, en général, manquent de méthode et que les rouages de la société sont,
comme il dit, mal ajustés. Il aime à citer le vers de

La Fontaine : « C'est le fonds qui manque le moins », et
soutient que l'important c'est de mettre en valeur ce que
l'on a. Je crois que cela est vrai surtout pour ceux qui
sont aussi bien doués que lui ; mais, quand je lui dis que
mon fonds à moi ne vaut pas grand-chose, il proteste
et m'affirme gentiment que bien des femmes qui tiennent
salon et brillent dans le monde sont moins intelligentes
que moi. Il a l'air sincère lorsqu'il dit cela et je crains
décidément qu'il ne se fasse de grandes illusions sur sa
future épouse. Puisse-t-il du moins les conserver longtemps ! Quoi qu'il en soit, je veux travailler à me cultiver
le plus possible, aussitôt que j'aurai un peu de temps, et
m'efforcer de devenir chaque jour un peu moins indigne
de lui.

Je m'inquiétais de savoir s'il avait pu se réserver
du temps pour tenir de son côté son journal comme
nous nous l'étions promis, et lui ai demandé de me le
montrer ; oh ! pas de me le donner à lire ; mais j'aurais
voulu le voir, simplement. A vrai dire je craignais qu'il
ne le laissât traîner. Mais il m'a rassurée. Le tiroir où
il l'enferme est toujours soigneusement fermé à clef.
Il m'a montré le tiroir mais a refusé d'en sortir le
journal, même après que je lui eus promis de ne pas
l'ouvrir.

                                          3 novembre.

Hier nous avons eu à dîner le peintre Bourgweilsdorf.
En dépit de ce nom affreux que je ne sais si j'écris correcte-

ment, ce n'est ni un Allemand ni un Juif mais un pauvre brave garçon très estimable que Robert a beaucoup secouru et qui encombre le petit rez-de-chaussée de l'avenue d'Antin d'un tas de toiles invendables que Robert lui achète par charité pour l'aider sans froisser son orgueil. J'ai dit à Robert que je le trouvais bien imprudent d'encourager ainsi un raté qu'il vaudrait mieux pousser à faire n'importe quoi plutôt que de la peinture; mais il paraît que le pauvre garçon est incapable de rien d'autre et que, de plus, il se croit très bien doué. Robert, du reste, s'obstine à lui reconnaître « un certain talent » et nous nous sommes un peu disputés à ce sujet, car enfin il suffit de voir n'importe laquelle de ces croûtes pour comprendre que Bourgweilsdorf ne sait pas son métier et qu'il n'a même aucune idée de ce que doit être la peinture. Mais Robert cite alors quantité d'artistes qui sont devenus célèbres et qu'on traitait d'abord de barbouilleurs. Et, comme il se fâchait un peu parce que je ne parvenais sincèrement pas à trouver bien ce qu'il me montrait :

— D'ailleurs persuade-toi que, s'il n'avait pas de valeur, je ne m'attacherais pas à lui, — a-t-il ajouté péremptoirement.

(N'empêche que Robert n'ose pas accrocher aux murs ces horreurs. Il les entasse dans une grande armoire, où je les ai découvertes, car il m'avait autorisée à fureter partout chez lui.) Le ton de Robert était si cassant (c'est la première fois qu'il me parlait ainsi) que les larmes me sont venues aux yeux. Il l'a vu, est redevenu aussitôt très tendre, m'a embrassée et m'a dit :

— Écoute. Veux-tu que je te le fasse connaître ? Tu jugeras s'il est aussi bête que tu crois.

J'ai accepté; et c'est comme cela que nous l'avons invité.

Eh bien ! je fais ici mes excuses à Robert : Bourgweils-dorf m'a paru presque charmant. Je dis « presque » parce que, malgré tout, quelque chose me choque en lui : c'est son peu de reconnaissance, pour ne pas dire : son ingratitude, envers Robert. Bourgweilsdorf semble oublier par trop ce qu'il lui doit, et même manquer un peu de déférence. Je sais bien que, dans sa bouche, cela ne tire pas à conséquence et que la cordialité de son ton réparait la brutalité des propos; mais plus d'une fois je l'ai entendu s'écrier, coupant la parole à Robert : « Mon vieux, ça ne tient pas debout ce que tu dis là », devant une remarque des plus sensées, qu'il n'avait pas même écoutée. Par contre, il approuvait tout ce que disait papa, avec une insincérité si courtoise et si souriante qu'elle donnait presque le change et que papa, somme toute, était ravi. Je m'attendais à un bohème; mais c'est un monsieur fort bien mis, assez élégant même, de bonnes manières et soigneux de sa personne. Certainement il est intelligent. Il raconte à ravir un tas d'histoires très amusantes, et sa conversation serait des plus agréables si seulement il n'aimait pas un peu trop les paradoxes. L'on n'est jamais sûr qu'il ne se moque pas un peu de vous, comme, par exemple, quand il dit que Raphaël et Poussin sont ses deux peintres préférés, ce que sa propre peinture ne laisse vraiment guère entendre. Somme toute, ça a été une excellente soirée et je crois que je reverrai ce brave Bourg

avec plaisir. Mais de là à lui commander mon portrait
comme a fait brusquement Robert... Ni lui, ni moi, nous
ne nous y attendions, de sorte que nous ne savions que
dire et que ça a été extrêmement gauche. Je trouve que
Robert aurait bien pu me consulter d'abord. Je lui aurais
dit que, d'ici à notre mariage, je ne trouverais que diffi-
cilement le temps de poser et qu'il faudrait remettre « ce
plaisir » au retour de notre voyage de noces. C'est ce que
j'ai répondu à Bourgweilsdorf lorsque, poussé par Robert,
il voulait déjà prendre rendez-vous pour la première
séance. Il affirme qu'il lui suffirait de trois ou quatre ; qu'il
prendrait des notes et établirait le portrait de mémoire
pendant notre absence, de manière qu'il n'ait plus que
quelques retouches à y faire, à notre retour, pour l'achever.
A vrai dire, quand je me souviens des horreurs qu'il
peut faire, je me soucie fort peu d'être portraicturée
par lui. Nous avons pourtant pris jour pour visiter
son atelier.

7 novembre.

Des courses, des réceptions, des visites. Je n'ai plus
le temps d'écrire mon journal ; plus le temps de lire, de
me recueillir ; plus le temps de me sentir heureuse. Et ce
qui m'attriste le plus, c'est que tout cela travaille à me
rendre affreusement égoïste. Il n'est question chaque jour
que de *mon* plaisir, de *ma* toilette, de *ma* convenance et
de *mes* goûts. Comme si je pouvais avoir désormais
d'autre convenance et d'autres goûts que ceux de Robert !

Même pour les meubles de mon petit salon, ce qui me
plaît c'est que ce soit lui qui les choisisse. Il m'a fait cadeau
d'un petit secrétaire exquis où je pourrai serrer ses lettres
et mon journal. Le marchand doit le garder jusqu'à ce
que nous soyons installés. Il me tarde déjà de me sentir
chez nous et de pouvoir un peu me reprendre. Ces jour-
nées de dissipation me semblent si vides... et même il
me semble que, Robert aussi, je le perds de vue, comme
moi-même, car, si je ne le quitte guère, je ne suis presque
jamais seule avec lui; il faut sourire à chacun, répondre
à des questions stupides, exposer sa joie, jouer une espèce
de comédie de bonheur, et cette préoccupation constante
de paraître heureuse m'empêcherait presque de l'être, si
je prenais un instant cette parade au sérieux. Je m'étonne
de cet air convaincu, pénétré, que les plus indifférents
peuvent affecter pour protester de leur sympathie; il me
faut me prêter à ce jeu, paraître « charmée d'avoir fait
la connaissance » de gens parfaitement insignifiants ou
désagréables.

12 *novembre.*

J'ai beaucoup vu Yvonne ces derniers temps. Je sens,
en causant avec elle, combien facilement devient égoïste
le bonheur. Ce qui m'abuse, c'est que je songe à Robert
plus qu'à moi-même. Mais en pensant à lui je cède au
penchant de mon cœur. Il ne s'agit pas sans doute de
l'aimer moins, mais de ne pas limiter à lui mon amour.
Je n'avais de regards que pour lui et ne me suis aperçue

que jeudi dernier de la mauvaise mine d'Yvonne. Mes
yeux se sont ouverts tout à coup, ou plutôt le nuage
éblouissant dans lequel je vivais s'est déchiré; elle m'a
paru si changée que j'ai pris peur, l'ai pressée de questions
et ai fini par la faire avouer la cause de son affreuse tristesse.
Le jeune homme que je savais qu'elle aimait, et avec
qui elle était déjà presque fiancée, la trompe, elle vient
de le découvrir,... et vit avec une autre femme...

— Pourquoi ne m'as-tu pas parlé plus tôt? — lui
ai-je demandé.

— Je craignais de troubler ta joie.

Et j'ai pris honte aussitôt de cette joie, qui m'est apparue
comme une propriété privée avec un « *défense d'entrer* » cruel.
Non, non, je ne veux pas d'un *impitoyable* bonheur.
Yvonne, qui souffrait de ne plus sentir mon amitié, a
besoin d'être secourue. Elle craint de ne pouvoir cesser
d'aimer celui qui ne mérite plus son amour, et cherche
une occupation qui lui permette d'oublier un peu sa
tristesse. Elle voudrait prendre un emploi dans un hôpital,
ce qui me paraît une excellente idée, au moins provi-
soirement. Tout en gardant le secret, comme je le lui ai
promis, sur les causes de cette détermination, je vais
tâcher d'y intéresser Robert, qui se montre très atten-
tionné pour Yvonne, et qui connaît très bien le médecin
en chef de Laënnec. Il peut lui recommander Yvonne en
toute confiance car je ne doute pas que, dévouée comme
elle est, et intelligente, et habile, elle ne puisse rendre
de grands services.

14 *novembre.*

Que Robert est gentil ! Je ne lui ai pas plutôt fait part du désir d'Yvonne qu'il a téléphoné au docteur Marchant et pris rendez-vous pour dîner avec lui demain soir. Il l'invite à *La Tour d'Argent* dont la cuisine est réputée.

— On ne saura jamais tout ce qu'obtient un bon repas, — m'a-t-il dit en riant.

Il affirme que ma présence à ce dîner ne sera pas inutile et a décidé papa à me permettre de l'accompagner. Je m'en réjouis beaucoup car tout ce que je fais avec Robert m'amuse et cela me prouve que papa commence à envisager ce mariage d'un moins mauvais œil; puis, il ne m'est encore presque jamais arrivé de manger au restaurant; et si, de plus, cela peut être profitable à Yvonne... Robert dit que le docteur Marchant est assez revêche mais extrêmement sensible à la bonne chère; aussi se propose-t-il de soigner le menu.

Je crains souvent de mécontenter Robert en employant dans la conversation certaines expressions ou tournures de phrases qu'il me dit ne pas être correctes et dont j'ai pris l'habitude en les entendant sans cesse autour de moi. Quand nous sommes seuls, Robert me reprend et me corrige. Mais, dans le monde, il m'arrive souvent de me taire par peur de voir soudain sur son visage une petite marque d'agacement, que du reste je suis seule à pouvoir distinguer, mais qui me fait comprendre aussitôt que je ne me suis pas exprimée comme il fallait. Il faudra pourtant que, avec le docteur Marchant, je me décide à parler; et je tremble un peu d'avance. Je me connais : à me trop observer, je risque de perdre toute aisance, tout naturel. J'ai supplié Robert de ne pas trop me regarder pendant le dîner. Je lis dans son regard tout ce qu'il pense, et la moindre ombre de réprobation que j'y verrais me démonterait. Ainsi rien ne l'irrite autant que l'emploi de « très » devant des mots qui, comme il dit très justement, ne comportent pas le comparatif (ou le superlatif, je ne sais plus bien). Avant qu'il ne me l'ait fait remarquer je disais couramment : « J'ai très faim », ou « j'ai très sommeil », ou « j'ai très peur ».

— Pourquoi pas tout de suite : « J'ai très courage », ou : « J'ai très migraine » ? — m'a-t-il dit.

Je crois comprendre la nuance, à laquelle j'avoue que je n'avais jamais songé; mais maintenant, par crainte de me tromper, je n'ose presque plus employer le mot « très ». On n'a pas toujours le temps de réfléchir si le mot qui va suivre est un substantif, un adjectif ou un adverbe... Et, du reste, je trouve que Robert va un peu loin. Par exemple il ne veut pas que je dise non plus que je l'ai « très fâché »; et pourtant « fâché » n'est pas un substantif. Il a voulu m'expliquer que ce n'était pas un adjectif non plus; mais je crois qu'il s'est un peu embrouillé car, après m'avoir dit : « Tu vas tout de suite comprendre... », il a remis brusquement à plus tard cette petite leçon. Je veux pourtant arriver à tout à fait bien comprendre ces règles et à prendre l'habitude de les appliquer, puisque Robert estime que ce devrait être surtout le rôle des femmes de maintenir la pureté de la langue, parce qu'elles sont en général plus conservatrices que les hommes, et qu'en négligeant leur parler elles manquent à un de leurs devoirs.

16 novembre.

« Mazette ! » s'est écrié papa, qui se sert volontiers de ce mot en guise de petit juron familier; « vous ne vous refusez rien ! » quand il a su que c'était à *La Tour d'Argent* que nous avions dîné. Il m'a dit n'y avoir jamais été lui-même mais savoir que c'est le vrai restaurant des gourmets. Et il a fallu que je lui « raconte le menu » par le détail. Le repas était excellent; les vins merveilleux, pour autant que j'en ai pu juger par les sourires que faisaient Robert et notre hôte en les dégustant, car moi je n'y connais pas grand-chose. Mais quel homme odieux que ce docteur Marchant !

— La peste soit des demoiselles désœuvrées ! — s'est-il écrié aux premiers mots que Robert lui a dits d'Yvonne.

C'était presque à la fin du repas et quand Robert a jugé que notre convive était « mûr ». Puis, avec un air bougon qui accentuait encore la grossièreté de ses propos :

— Ce n'est du reste pas la première qui se propose ainsi. J'ai toujours refusé froidement ces offres de service. Les sœurs de charité, ça je ne dis pas : ce ne sont plus des femmes, paraît-il. Mais les jeunes filles du monde... Esculape nous en préserve ! Dites-lui donc de ma part, à votre amie, de se marier, tout simplement. C'est ce qu'une femme peut faire de mieux, je vous assure. Et j'ai plaisir à dire cela devant vous, mademoiselle, — a-t-il ajouté en se tournant vers moi et en grimaçant un sourire — puisque je vois que vous le pensez aussi.

— Mon amie a de bonnes raisons pour ne pas m'imiter, — ai-je hasardé, en m'armant de tout mon courage et sentant que l'avenir d'Yvonne était en jeu. Mais mon courage a battu en retraite devant son air gouailleur et son :

— Ah ! vraiment... ? — dit en levant très haut les sourcils d'une manière interrogative.

J'étais sur le point de protester que chaque femme ne pouvait pas espérer le bonheur de rencontrer un Robert; mais j'ai dit platement que tous les mariages n'étaient pas heureux. A quoi Marchant a riposté tout aussitôt que si le mariage n'était pas toujours bon, le célibat, par contre, était toujours mauvais... « pour les femmes du moins », a-t-il ajouté en ricanant, vite, avant que je n'aie eu le temps de lui demander pourquoi, dans ce cas, il était demeuré garçon. Puis, voyant sans doute qu'il avait été trop loin, il a repris sur un ton plus conciliant :

— Voyons, mademoiselle, entre nous... c'est vrai qu'elle souhaite tellement entrer à mon service, votre amie ?

— Je sais qu'elle en a *très* envie, — ai-je dit imprudemment; et tout aussitôt j'ai senti se fixer sur moi le regard de Robert et me suis aperçue de ma faute de français, de sorte que je n'ai plus osé rien ajouter, ce qui a permis au docteur Marchant de continuer :

— Et les arts d'agrément ? A quoi servent-ils, les arts

d'agrément ? Pourquoi les a-t-on inventés, sinon pour occuper les oisives ? Conseillez donc à votre amie la tapisserie, ou l'aquarelle, puisqu'elle se refuse à nous faire des enfants comme ce serait son devoir, mais comme nous ne pouvons pas décemment l'y forcer.

Sans doute ai-je laissé voir combien ces propos me révoltaient car il a bientôt détourné la conversation, après avoir déclaré péremptoirement :

— Du reste, quand bien même je voudrais l'occuper, votre amie, je ne trouverais rien à lui donner à faire. Nous n'avons déjà que trop d'employés de service, et je ne puis supporter auprès de moi les gens qui restent à me regarder, les bras croisés.

Robert en a donc été pour ses frais. C'est ce qu'il appelle : « être refait. » On pouvait juger à sa mine combien cela lui était désagréable et j'en étais très touchée, car ce n'est que par amour pour moi qu'il s'intéressait à Yvonne et avait fait ces avances. Je ne lui ai pas caché mon opinion sur le docteur Marchant. C'est peut-être un grand savant, comme Robert l'affirme, mais c'est un rustre et je préfère ne plus le rencontrer, malgré le « je ne le tiens pas pour quitte » que Robert répétait en me reconduisant après dîner.

Si encore Yvonne attendait une rémunération de ses services ! Mais elle a de quoi vivre et son offre est toute désintéressée. Comment aurai-je le cœur de lui apprendre que cette offre est repoussée, que l'on n'a que faire de son dévouement...

Être inutile ; se savoir, se sentir inutile... Sentir en soi

tout ce qu'il faut pour aider, pour secourir, pour répandre
autour de soi de la joie, et n'en trouver pas le moyen !

« On n'a pas besoin de vous, mademoiselle. »

C'est atroce, et je plains Yvonne de tout mon cœur.
Je remercie Dieu plus encore de m'avoir épargné ces
déboires, et Robert de m'avoir choisie. Mais de songer
que tant de femmes, qui n'ont pas mon bonheur, se voient
refuser le droit de prendre part à la vie, que leur raison
d'être sur terre et de mettre en valeur les vertus et les
dons qu'elles ont en elles, que tout cela soit subordonné
au plus ou moins bon vouloir d'un Monsieur, cela m'indigne. Et je prends ici l'engagement, si j'ai une fille, de
ne lui apprendre aucun de ces petits arts d'agrément
dont parlait avec tant d'ironique mépris le docteur Marchant, mais de lui faire donner une instruction sérieuse
qui lui permette de se passer des acquiescements arbi-
traires, des complaisances et des faveurs.

Je sais bien que tout ce que j'écris ici est absurde;
mais le sentiment qui me dicte ces phrases ne l'est pas. Je
trouve tout naturel, en épousant Robert, de renoncer à
mon indépendance (j'ai fait acte d'indépendance en
l'épousant malgré papa), mais chaque femme devrait
pour le moins rester libre de choisir la servitude qui lui
convient.

17 novembre.

Robert s'occupe à réunir des capitaux pour fonder un
journal littéraire dont il prendrait la direction politique.

Le journal ne commencerait à paraître qu'à notre retour
de Tunisie, c'est-à-dire qu'au printemps prochain; mais
il est bon de tout préparer avant notre départ, qui aura
lieu sitôt après notre mariage, c'est-à-dire... bientôt. Les
soins qu'il me prodigue ne nuisent pas à son activité,
Dieu merci. Je l'aimerais moins si je devais être le but
unique de sa vie. Je suis là pour l'aider et non pour le
détourner de sa carrière. C'est au-delà de moi qu'il doit
diriger ses regards.

19 novembre.

Chaque jour m'apporte une nouvelle joie. Quelle ne
fut pas ma surprise, ce matin, lorsque Robert me montra
la lettre du docteur Marchant qu'il venait de recevoir.
Oublieux de tout ce qu'il nous avait dit l'autre soir, ou
peut-être en ayant pris honte, il demande qu'Yvonne
vienne le voir à l'hôpital, désireux d'examiner avec elle,
dit-il, ce qu'il pourra faire d'elle, ou pour elle...

Je n'avais pas encore revu Yvonne et n'aurai donc
pas à lui parler de la fâcheuse impression que j'avais
eue d'abord, mais seulement de l'heureux résultat
final.

22 novembre.

J'ai eu ce matin une grande faiblesse. Mais comment
refuser rien à Robert ? J'étais dans le petit salon, et, comme

je n'attendais pas si tôt sa visite, j'avais sorti mon journal
et m'apprêtais à y raconter notre soirée d'hier aux ballets
russes, lorsqu'il est entré tout à coup et m'a demandé à
voir ce que j'écrivais. J'ai répondu en riant qu'il ne le
verrait qu'après ma mort, selon la promesse que nous
nous étions faite. Il m'a dit, en riant aussi, que, dans ce
cas, il risquait de ne le voir jamais, car il était naturel que
je lui survive; qu'au surplus il n'avait jamais pris cet
engagement au sérieux et m'en tenait quitte; que d'autre
part nous nous étions promis de ne rien nous cacher;
que, de toute façon, son désir de lire mon journal était si
vif qu'il risquait, si je ne le satisfaisais pas aussitôt, de
gâter son bonheur... Bref, il s'est montré si pressant, si
obstiné, si tendre, que j'ai cédé, tout en demandant alors
la réciproque, qu'il m'a volontiers accordée. Et j'ai quitté
la pièce pour le laisser lire à son aise.

Mais, à présent, le charme est rompu; et c'est bien ce
que je craignais. Si j'écris encore ces lignes, c'est seulement pour expliquer pourquoi ce sont les dernières.
Évidemment c'est pour lui que je l'écrivais, ce journal;
mais je ne pourrais plus y parler de lui comme je faisais,
ne serait-ce que par pudeur. Il n'a plus, à présent, qu'à
lire également ces lignes, que je ne cherche plus à lui
cacher.

Non, je ne l'aime pas moins; mais il ne le saura plus
que tout de suite. (Cette phrase ne veut peut-être rien
dire, mais elle est venue naturellement sous ma plume.)

23 novembre.

Hélas ! il me faut encore ajouter ce post-scriptum.

Robert vient de me faire beaucoup de peine. C'est le
premier chagrin que je lui dois, et il m'est pénible de
l'écrire ici, car j'espérais que ce cahier n'aurait à contenir
que l'expression de ma joie. Mais il faut que je l'écrive
ici tout de même; et ceci que j'écris, je souhaite qu'il le
lise, car, lorsque je le lui disais tantôt, il refusait de prendre
au sérieux mes paroles.

J'étais allée chez lui, pensant qu'il me montrerait à
son tour son journal, comme hier il me l'avait promis
avant que je ne lui donne à lire le mien. Et voici qu'il
m'avoue que ce journal n'existe pas, qu'il n'en a jamais
écrit une ligne, qu'il ne m'a laissée croire si longtemps
qu'il l'écrivait que pour m'encourager à continuer le
mien. Il m'avoue tout cela en riant et s'étonne, puis
s'irrite, parce que je n'en ris pas à mon tour et ne
m'amuse pas avec lui de sa ruse. Et comme au contraire
je m'en attriste et lui reproche, non de ne pas avoir écrit
ce journal, car je comprends qu'il n'ait pas eu le temps
ni le désir de le faire, mais bien de m'avoir laissée croire
qu'il l'écrivait, de m'avoir dupée, le voici qui me reproche d'avoir mauvais caractère, de grossir ce qui n'a
en soi aucune importance, sans vouloir comprendre que
ce qui m'attriste précisément, c'est que ce qui a tant
d'importance pour moi en ait pour lui si peu, et qu'il
traite si légèrement ce qu'il voit qui me tient à cœur.

Bientôt ce n'est plus lui qui a tort de n'avoir pas tenu
sa parole, mais moi qui ai tort de m'en plaindre. Et
pourtant je n'ai aucun plaisir à avoir raison contre lui;
j'aimerais pouvoir lui donner raison; mais j'aurais voulu
que du moins il marquât un peu de regret de m'avoir
causé tant de peine.

En me plaignant ainsi, je me parais ingrate et je lui
en demande pardon. Mais décidément j'arrête ici ce journal qui n'a vraiment plus raison d'être.

DEUXIÈME PARTIE

VINGT ANS APRÈS

Arcachon, 2 juillet 1914.

J'ai pris avec moi ce cahier comme on emporte un
ouvrage de broderie, pour occuper le désœuvrement
d'une cure. Mais, si je recommence à y écrire, ce n'est
hélas plus pour Robert. Il croit désormais connaître tout
ce que je peux sentir ou penser. J'écrirai afin de m'aider
à mettre un peu d'ordre dans ma pensée; afin de tâcher
d'y voir clair en moi-même, considérant, comme l'Émilie
de Corneille

> *Et ce que je hasarde et ce que je poursuis.*

Quand j'étais jeune, je ne savais voir dans ces vers que
de la redondance; ils me paraissaient ridicules, comme
souvent ce que l'on ne comprend pas bien; comme ils
paraissent ridicules et redondants aujourd'hui à mon
fils et à ma fille, à qui je les ai fait apprendre. Sans doute
faut-il avoir un peu vécu pour comprendre que tout ce

que l'on *poursuit* dans la vie, l'on ne peut espérer l'atteindre qu'en *hasardant* précisément ce qui parfois vous tient à cœur. Ce que je poursuis aujourd'hui, c'est ma délivrance ; ce que je hasarde, c'est l'estime du monde, et celle de mes deux enfants. L'estime du monde, je m'efforce de me persuader que je n'y tiens guère. L'estime de mes enfants me tient à cœur plus que tout ; en écrivant ceci, je le sens mieux que jamais. Au point que j'en viens à me demander si ce n'est pas surtout pour eux que j'écris ces lignes. Je voudrais que, plus tard, s'il leur arrive de les lire, ils y trouvent une justification, ou du moins une explication, de ma conduite, que sans doute on leur apprendra à juger d'un œil sévère, à condamner.

Oui, je sais, et je me répète sans cesse, qu'en quittant Robert je vais me donner en apparence tous les torts. Sans connaître rien aux lois, je puis craindre que mon refus de continuer à vivre sous le même toit que lui n'entraîne la déchéance de mes droits maternels. L'avocat que je veux consulter dès mon retour à Paris m'indiquera les moyens d'éviter cela, qui me serait intolérable. Je ne puis consentir à ne plus avoir mes enfants. Mais je ne puis davantage consentir à vivre plus longtemps avec Robert. Le seul moyen pour moi de ne pas en venir à le haïr c'est de ne plus le voir. Oh ! de ne plus l'entendre surtout... En écrivant ceci je sens bien que je le déteste déjà ; et, si odieuses que me paraissent à moi-même ces paroles, il me semble que c'est par besoin de les écrire que j'ai rouvert ce cahier. Car ceci je ne puis le dire à personne. Je me souviens du temps où Yvonne n'osait point me parler, par crainte d'assombrir mon bonheur.

A présent c'est à moi de me taire. Au reste, me com-
prendrait-elle ?... Son mari plutôt, lui qui d'abord m'avait
paru si égoïste, si vulgaire, et que je sais à présent plein
de cœur. J'ai parfois surpris, chez cet homme vraiment
supérieur, un indéfinissable ton de mépris en face de
Robert; comme, par exemple, lorsque Robert, rapportant
un dialogue où naturellement il se donnait le beau rôle,
après avoir cité complaisamment ses propres paroles, a
ajouté :

— C'est ce que j'ai cru devoir lui dire.

— Et lui, qu'a-t-il cru devoir te répondre ? — a
demandé le docteur Marchant.

Robert, un instant, a paru quelque peu désarçonné. Il
sent que Marchant le juge, et cela lui est très désagréable.
Je crois que c'est par égard pour moi que Marchant
retient sa moquerie, car je l'ai vu parfois prodigieusement
mordant à l'égard de certaines suffisances qu'il ne pouvait
se retenir de dégonfler. Il n'est certainement pas dupe des
phrases sonores de Robert. Il m'est même arrivé de penser
que, sans son affection pour moi, il aurait depuis longtemps
cessé de le fréquenter. Et ce soir-là j'ai été comme soulagée
de comprendre que je n'étais pas seule à être exaspérée
par cette habitude qu'a prise Robert de toujours dire qu'il
a « cru devoir faire » tout ce que, simplement, il a fait
parce qu'il en avait envie, ou bien, plus souvent encore,
parce qu'il lui paraissait opportun d'agir ainsi. Ces derniers temps, il perfectionne; il dit : « J'ai cru de mon
devoir de... » comme s'il n'agissait plus que mû par de
hautes considérations morales. Il a une façon de parler
du devoir, qui me ferait prendre tout « devoir » en horreur;

de se servir de la religion, qui rendrait toute religion suspecte, et de jouer des beaux sentiments, à vous en dégoûter à jamais.

3 juillet.

J'ai dû m'interrompre pour mener Gustave au docteur. Dieu soit loué ! Je suis sortie de la consultation très rassurée. Marchant nous avait alarmés, de sorte qu'heureusement nous avons pris le mal à temps. Le docteur d'ici, qui suit Gustave de très près, affirme même que, bientôt, nous n'aurons à craindre aucune rechute. Il estime que, sitôt après les vacances, Gustave pourra rentrer au lycée, de sorte que cette alerte ne causera pas de retard dans ses études.

Je reste peu satisfaite de ce que j'écrivais hier. J'ai laissé courir ma plume, il me semble, par un besoin de récrimination qui peut paraître bien vain tant que je ne me serai pas mieux expliquée. Chacun de nous a des défauts, et je sais que l'harmonie ne peut être maintenue dans un ménage sans indulgence et sans menues concessions mutuelles. D'où vient que les défauts de Robert me sont devenus à ce point insupportables ? Est-ce donc parce que cela même qui m'exaspère aujourd'hui était ce à quoi précisément je me laissais prendre ? qui me charmait, me paraissait le plus louable ?... Oh ! je suis bien forcée de le reconnaître : ce n'est pas lui qui a changé ; c'est moi. C'est le jugement que je porte. De sorte que même mes souvenirs les plus heureux s'y abîment. Ah !

de quel ciel je suis tombée ! Pour m'expliquer ce change-
ment, j'ai relu ce que j'écrivais dans ce même cahier, il y
a vingt ans. Que j'ai de mal à me reconnaître dans la
candide, confiante et un peu niaise enfant que j'étais ! Les
phrases de Robert que je citais, qui m'emplissaient de
joie et d'amoureux orgueil, je les entends encore, mais les
interprète différemment. Cette défiance dont je souffre
aujourd'hui, je cherche à m'en retracer l'histoire. Je crois
bien qu'elle a commencé de naître certain jour, peu après
notre mariage, où j'entendis Robert, lorsque mon père
s'extasiait sur le système de classement de ses fiches, et
lui demandait :

— Alors c'est vous qui avez trouvé cela ? — répondre,
et de quel ton indéfinissable, à la fois supérieur et modeste,
profond et dégagé :

— Oui... en cherchant, j'ai trouvé.

Oh ! ce n'était là presque rien, et à ce moment je n'y ai
pas attaché d'importance. Mais, comme je venais d'apprendre, en allant régler une facture chez un papetier de la
rue du Bac, que ce classeur perfectionné sortait de son
magasin, j'ai trouvé peut-être inutile cet air inspiré,
presque douloureux, cet air d'inventeur, que Robert
prenait, qu'il « croyait devoir prendre », pour proférer
ces mots : « J'ai trouvé. » — Oui, oui; c'est entendu, mon
ami : tu as trouvé ce classeur rue du Bac; pourquoi dire :
« En cherchant »? Ou alors, il faudrait ajouter : « En
cherchant les enveloppes que j'avais commandées... » Il
me parut, dans un éclair, qu'un savant, après une vraie
découverte, ne s'aviserait jamais de dire : « En cherchant,
j'ai trouvé », car alors il irait de soi; et que ces mots, dans

la bouche de Robert, ne servaient qu'à dissimuler qu'il
n'avait rien inventé lui-même. Mon cher papa n'y a vu
que du feu, et moi-même, tout ce que j'en écris aujour-
d'hui ne m'est apparu nettement que plus tard. J'ai simplement senti, instinctivement, qu'il y avait là quelque
chose d'indéfinissable, qui sonnait faux. Du reste, Robert
ne disait pas ces mots dans l'intention de tromper papa.
Cette petite phrase lui avait échappé, tout inconsciemment ;
mais c'est bien pour cela qu'elle était si révélatrice. Ce
n'était point papa qu'il dupait, c'était lui-même.

Car Robert n'est pas un hypocrite. Les sentiments qu'il
exprime, il s'imagine réellement les avoir. Et même je
crois qu'en fin de compte il les éprouve, et qu'ils répon-
dent à son appel, les plus beaux, les plus généreux, les
plus nobles, toujours exactement ceux qu'il convient
d'avoir, ceux qu'il est avantageux d'avoir.

Je doute que beaucoup de gens s'y puissent laisser
prendre ; mais ils font tout comme. Une sorte de conven-
tion s'établit, et l'on n'est peut-être pas tant dupe que l'on
ne fait semblant de l'être, pour plus de commodité. Papa
qui d'abord semblait y voir clair alors que j'étais le plus
éblouie, et dont l'opinion sur Robert m'attristait tant
durant mes fiançailles, papa semble complètement retour-
né. Dans chacune de mes discussions avec Robert, c'est
toujours à moi qu'il donne tort. Il est si bon et si faible !
Robert si habile !... Quant à maman... Certains jours je
me sens affreusement seule ; je ne puis dire ce que je pense
qu'à ce carnet, et me prends à l'aimer comme un ami
discret, docile, à qui pouvoir enfin confier ma plus
secrète et plus douloureuse pensée.

Robert croit me connaître à fond : il ne soupçonne pas que je puisse avoir, en dehors de lui, de vie propre. Il ne me considère plus que comme une dépendance de lui. Je fais partie de son confort. Je suis sa femme.

5 juillet.

Devant tout nouveau venu, je sens, je sais que son premier souci est de chercher par où le tenir, par où le prendre. Même dans ses actes les plus généreux en apparence et par où il se montre le plus obligeant envers autrui, je sens l'arrière-pensée de faire d'autrui son obligé. Et avec quelle naïveté il agit, quel naturel !... Les premiers temps, alors qu'il n'avait pas appris à se défier de moi, il lui échappait de ces phrases révélatrices : « Je suis bien mal récompensé de ma sympathie »; comme si la sympathie devait attendre d'autrui sa récompense ! et je frémissais lorsque je l'entendais dire : « ...Un tel... après ce que j'ai fait pour lui, il n'a rien à me refuser. »

C'est toute la raison d'être de cette revue, que Robert a dirigée durant quatre ans et dont il n'a cessé de s'occuper que l'an dernier, après que son ruban rouge se fut changé en rosette. Sous des dehors d'impartialité, ce n'était qu'une sorte d'agence d'entraide, de complaisances réciproques. Chaque article de louange était considéré par Robert comme une lettre de crédit. Le plus fort c'est son art, en se servant des gens, de paraître leur rendre service. Qu'eussent été les quelques articles qu'il a donnés à cette revue, sans ce jeune secrétaire qui les a mis sur

pied, qui les a récrits, repensés ?... Mais quand il parle
de ce charmant garçon, si remarquablement doué, si
discret et de manières si exquises, il lui arrive de s'écrier :
« Ah ! qu'est-ce qu'il serait sans moi, celui-là ! »

A entendre Robert, cette revue n'avait pour but que
d'aider les artistes méconnus, que de se dévouer à les
faire connaître, à « les imposer au public », comme il
disait; mais, du même coup, elle l'aidait à se pousser
lui-même. Oui, sans doute, Robert a beaucoup fait pour
mettre en valeur l'extraordinaire talent de Bourgweilsdorf,
à la fois si fier et d'une si exquise modestie, ou du moins
si sincèrement dédaigneux de la faveur du grand public;
mais l'extraordinaire plus-value que ses tableaux ont due
à la campagne savamment organisée par la revue après la
mort de Bourgweilsdorf a permis à Robert de vendre
deux toiles de ce qu'il appelle sa « galerie » beaucoup
plus cher qu'il n'avait payé toutes les autres. Sorties des
armoires où elles étaient restées enfermées si longtemps,
elles paradent aujourd'hui sur les panneaux et permettent
à Robert de dire sentencieusement à son fils : « Il est
bien rare que Dieu ne nous récompense pas, en fin de
compte. »

Ah ! que j'aimerais le voir, ne fût-ce qu'une fois, défendre une cause où vraiment il aurait à se compromettre,
éprouver des sentiments dont il ne pourrait tirer
avantage, avoir des convictions qui ne lui rapporteraient
rien...

Quand il a invité papa et nos cousins de Berre, et
même ce brave Bourgweilsdorf encore si peu fortuné, à
mettre de l'argent dans cette affaire d'imprimerie, qui du

reste a échoué si piteusement, il semblait que ce fût une grande faveur : les actions étaient très demandées; il ne pouvait disposer que d'un certain nombre dont, par une faveur particulière, il consentait à faire profiter des amis... Tout cela était si habilement présenté que j'en venais moi-même à penser : « Comme Robert est gentil !... » Car je ne comprenais pas alors que tous ces titres qu'il faisait prendre lui assuraient la majorité et gonflaient démesurément son importance.

Et, après la déconfiture, quelles belles phrases il trouvait, pour s'excuser à ses propres yeux des grosses pertes que leur avait fait subir son imprudence :

— Ces pauvres chers amis... Ils sont bien mal récompensés de la confiance qu'ils ont mise en moi. Ah ! je suis bien puni d'avoir voulu aider les autres. C'est à vous dégoûter de chercher à rendre service, etc.

Quand il eût été si simple de rembourser tout bêtement, à Bourgweilsdorf tout au moins, l'argent qu'il n'avait risqué dans cette affaire que sur l'insistance et sur les garanties de Robert, qui, lui, a trouvé moyen de s'en tirer à très bon compte, ayant « liquidé la situation » au bon moment, comme il me l'a avoué plus tard; et quand il m'a vue prête à m'indigner qu'il n'eût pas d'abord songé à protéger l'argent de ses amis, il m'a confusément expliqué qu'il ne pouvait vendre leurs actions sans une procuration qu'il n'avait pas eu le temps de leur demander, et qu'au surplus la vente brusque d'un trop grand nombre de titres risquait de donner l'alarme et de faire aussitôt baisser les prix. Je crois que je ne l'ai jamais si bien méprisé que ce jour-là; mais je me suis bien gardée de le lui

laisser voir, et il ne pouvait s'en rendre compte, tant ce
qu'il me racontait lui paraissait naturel, de sorte qu'il
ne doutait point que, dans les mêmes circonstances, je
n'eusse agi tout comme lui.

6 *iuillet.*

Que Gustave ressemble à son père, je crois que c'est
Marchant qui me l'a fait comprendre d'abord. Toutes les
illusions que j'ai si longtemps nourries pour Robert, j'ai
continué de les avoir pour Gustave jusqu'à ces mois
derniers, tant il est difficile de juger vraiment un être qu'on
aime. Et tandis que je me déprenais de Robert et me
croyais devenue très perspicace, reportant mes regards
et mes espérances vers Gustave, je pensais d'abord : lui,
du moins... C'est aussi que les défauts de Robert ne repa-
raissent chez Gustave que comme remaniés, pour ainsi
dire, et se manifestent différemment. Mais je les reconnais
à présent. Sous des aspects nouveaux ce sont les mêmes,
je ne puis plus m'y tromper... Et même, certains traits
du caractère de Robert, c'est son fils, à présent, qui me
les explique. Je n'aime pas le voir négliger, dans son
programme, toutes les matières sur lesquelles il ne craint
pas qu'on l'interroge. Il n'apprend rien par simple désir
de s'instruire, et savoir lui importe moins que de donner
à croire qu'il sait. J'ai eu beaucoup de mal à lui faire
perdre cette habitude, qu'il avait déjà tout petit, de
demander à propos de tout : « A quoi ça sert ? » — où,
d'abord, je ne savais voir qu'une curiosité charmante.

A présent il ne le dit plus; mais je préférerais encore qu'il le dise, car il le pense tout de même par-devers lui et fait fi de tout ce qui ne *sert* pas.

Et dire que d'abord je le félicitais sur le choix de ses camarades ! Quelle naïveté de ma part ! « Gustave ne consent à se lier qu'avec les meilleurs », disais-je à Yvonne; et cela faisait sourire Marchant. L'an dernier, dans cette petite fête enfantine que j'ai donnée à la demande de Gustave et sur les conseils de Robert, nous avions un fils de ministre, un neveu de sénateur, un jeune comte, enfin pas un enfant qui n'eût des parents extraordinairement fortunés, puissants ou célèbres. Robert lui-même n'aurait pas mieux choisi. Gustave a bien encore un autre ami. C'est un boursier. Ses parents sont dans l'enseignement; ils sont pauvres. Gustave m'a fait comprendre qu'il n'était pas séant de l'inviter avec les autres. J'ai d'abord voulu voir là de la délicatesse de sa part. Je crois aujourd'hui que Gustave craignait tout simplement que cet ami ne lui fît honte. Il le voit volontiers; mais c'est pour l'éblouir, le dominer. Quant à moi, je le préfère à tous les autres; c'est le seul qui me paraisse avoir une vraie valeur personnelle. Ce garçon plein de cœur adore Gustave et, quand je le vois tomber en admiration devant ce que dit ou fait son ami, il me prend des envies de l'avertir, de lui dire :

— Mon pauvre petit, ne t'y trompe pas; c'est ta dévotion qu'aime mon fils; ce n'est pas toi.

— Mais, maman, ça lui fait tant de plaisir de me rendre service ! — riposte Gustave, lorsque je lui reproche de recourir au dévouement de son ami pour quelque

besogne qu'il aurait fort bien pu faire lui-même. —
Ça l'amuse et moi ça m'ennuie.

De sorte que c'est l'autre qui lui dit : Merci.

9 juillet.

L'amusement que je trouve à couvrir les pages blanches
de ce cahier me paraît bien vain, mais il est indéniable.
Pourtant je laisse moins qu'autrefois courir ma plume;
je n'ai pas précisément le souci de bien écrire; mais, réflé-
chissant davantage, il me semble que j'écris mieux. Rien
ne m'a plus instruite que de chercher à instruire Gustave
et Geneviève. Pour leur faire mieux comprendre les auteurs de leur programme, j'ai d'abord cherché à les mieux
comprendre moi-même, ce qui est cause que mes goûts
ont beaucoup changé et que bien des livres modernes, où
naguère je prenais intérêt, aujourd'hui me paraissent
insipides et vides, tandis que d'autres s'animent et s'éclai-
rent que je ne lisais d'abord que par devoir et où je ne
trouvais que de l'ennui. Je sais à présent découvrir dans
les grands auteurs du passé, à travers ce qui ne me paraissait que pompe froide et beau langage, beaucoup de confidence, au point que de certains d'entre eux j'ai fait des
conseillers secrets, des amis, et souvent c'est près d'eux
que j'ai cherché refuge, que j'ai trouvé le réconfort et la
consolation dont j'ai parfois si grand besoin, car je me
sens terriblement seule.

Le vieil abbé Bredel, qu'un deuil de famille appelait à
Bordeaux, est venu passer avec moi la fin du jour d'hier.
Il me connaît si bien ! naguère je m'entendais si bien
avec lui !... Je me suis confiée à lui, ce que je n'avais
plus fait depuis longtemps, car depuis longtemps j'ai
beaucoup négligé mes devoirs religieux. Les pratiques
que Robert étale ont comme désaffecté mon cœur ; les
manifestations de sa piété m'ont fait douter de l'authenticité de la mienne. Ses génuflexions ostentatoires arrêtent
la prière en mon cœur... Mais hier, par faiblesse, par
angoisse de solitude et besoin de sympathie, je n'ai pu
me tenir de parler à l'abbé, qui veut que je le considère
plus encore comme un ami que comme un prêtre. Hélas !
Je suis sortie de cet entretien diminuée, désorientée, dé-
couragée, sans plus de confiance en moi qu'en Robert.

L'abbé a commencé par me dire que ce n'est pas toujours
« de l'abondance du cœur que sortent les paroles », et de
même que souvent, dans la prière, le geste précédait
l'élan sincère, je devais accepter que, chez Robert, l'expression d'un sentiment ne fût pas aussitôt accompagnée
du sentiment réel, mais espérer que le sentiment, un
peu plus tard, finirait par la rejoindre. L'important, selon
l'abbé, n'est pas tant de dire ce que l'on pense (car l'on
pense souvent fort mal) que ce que l'on devrait penser ;
car tout naturellement, et presque malgré soi, on en vient
à penser ce que l'on a dit. Bref, il a pris violemment la

défense de Robert, m'a dénié tout droit de mettre en
doute sa sincérité, et n'a consenti à voir dans ma plainte
et dans ce qu'il appelait mes « revendications », qu'une
manifestation de l'orgueil le plus déplorable, orgueil que
ma négligence à accomplir mes devoirs religieux avait
laissé croître et se développer en moi. Et bientôt, tant est
grand l'empire que l'abbé a su prendre sur moi, j'ai cessé
de voir nettement ce dont je me plaignais, de comprendre
ce que je reprochais à Robert; je n'étais plus qu'une enfant
qui regimbe et qui récrimine. Et comme, en sanglotant,
je protestais que, là où il voulait voir de la révolte, il n'y
avait qu'un grand besoin de servir et de me dévouer, mais
de me dévouer à quelque chose de réel, et que, chez Robert, à l'abri de spécieux dehors, ne se cachait rien qu'un
grand vide :

— Eh bien, — m'a-t-il dit gravement, et d'une voix
brusquement attendrie, — dans ce cas, mon enfant, votre
devoir est de l'aider à cacher ce vide... aux regards de tous,
— a-t-il ajouté plus gravement encore, — et particulièrement de vos enfants. Il importe qu'ils puissent continuer
à respecter, à honorer leur père. C'est à vous d'y aider
en couvrant, cachant et palliant ses insuffisances. Oui,
c'est là votre devoir d'épouse chrétienne et de mère; un
devoir auquel vous ne pouvez chercher à vous dérober
sans impiété.

A demi prosternée devant lui, je cachais dans mes
mains mes sanglots, ma confusion, ma rougeur. Quand
j'ai relevé le front, j'ai vu des larmes dans ses yeux et
senti dans son cœur une pitié sincère et profonde qui m'a
soudain plus émue que n'avaient fait d'abord ses paroles.

Je n'ai rien dit, rien pu trouver à dire; mais il a bien
compris que je me soumettais.

Peu s'en faut que je ne déchire aujourd'hui tout ce
que j'écrivais ces jours derniers; mais non, je veux pouvoir
le relire, quand ce ne serait que pour en prendre honte...

12 *juillet.*

Ainsi donc, tout ce qui me reste à faire, c'est de me
mettre au service d'un être pour qui je n'ai plus d'amour,
plus d'estime; d'un être qui ne me saura aucun gré d'un
sacrifice qu'il est incapable de comprendre et dont il ne
s'apercevra même pas; d'un être dont j'ai connu trop tard
la médiocrité; d'un pantin dont je suis la femme. C'est là
mon lot, ma raison d'être, mon but; et je n'ai plus d'autre
horizon sur terre.

En vain l'abbé fait-il valoir la beauté du renoncement.
« Aux yeux de Dieu », dit-il. Et tout aussitôt, dans ma
détresse, j'ai pris conscience de ceci : c'est que j'ai cessé
de croire en Dieu en même temps que j'ai cessé de croire
en Robert. La seule idée de le retrouver par-delà le tombeau, en triste récompense à ma fidélité, me fait horreur...
au point que mon âme se refuse à la vie éternelle. Et si je
ne suis pas plus effrayée de la mort c'est que je ne crois
pas à la survie, que je n'y crois plus, je le sens. J'écrivais
hier le mot « soumission »; mais ce n'est pas vrai; je ne
sens en moi que désespoir, que révolte, qu'indignation.
« Orgueil », dit l'abbé... Eh bien, oui; je crois que je vaux
mieux que Robert et c'est précisément quand je me serai

le plus humiliée devant Robert que je prendrai le mieux
conscience de ce que je vaux et me sentirai le plus orgueilleuse. L'abbé, qui me met en garde contre le péché d'orgueil, ne comprend-il pas qu'il m'y précipite au contraire
et que l'unique ressort auquel il puisse faire appel pour
obtenir de moi l'humilité, c'est l'orgueil ?

Orgueil. Humilité... Je me répète ces mots sans les
comprendre et comme si cette conversation avec l'abbé
venait de les vider de tout sens. Et la pensée, que   repousse en vain, qui depuis hier me torture, qui discrédite
en mon esprit aussi bien l'abbé que tout ce dont il tâchait
de me convaincre : c'est que, au fond, l'Église et lui ne
se soucient que des dehors. L'abbé s'accommode bien plus
volontiers d'un simulacre qui le sert que de ma sincérité
qui le gêne et le désoblige. Robert a su se l'acquérir,
comme il sait empaumer (ah ! le mot affreux !) tout le
monde. A lui la louange, à moi la réprobation. Peu
importe qu'il y ait quelque chose ou non sous le geste.
Le geste suffit à l'abbé. Le geste leur suffit à tous; et
c'est moi qui suis vaine de ne point consentir à m'en
contenter. Ce que je cherche par-delà n'a aucune importance, aucune existence, aucune réalité.

Allons ! Puisqu'il paraît qu'il faut se satisfaire de
l'apparence, je prendrai donc celle de l'humilité, sans aucun
sentiment d'humilité réelle en mon cœur.

Mais ce soir, dans ma détresse, je voudrais croire à
Dieu pour lui demander si c'est bien là vraiment ce qu'il
désire ?

13 juillet.

Une consternante dépêche de mon père me rappelle
brusquement à Paris. Robert vient d'être victime d'un
accident d'auto; « *sans gravité* », dit la dépêche, qui pourtant
me demande de revenir. Si l'état de Robert était très
grave, mon père rappellerait également Gustave. C'est ce
que je me dis pour me rassurer.

J'ai des remords affreux de ce que j'écrivais ici ces
jours derniers. Heureusement Gustave va assez bien
pour que je puisse sans crainte le laisser seul quelques
jours. Le patron de la pension me promet de veiller sur
lui, et le docteur, qui précisément était là lorsque j'ai
reçu la dépêche, s'engage à m'envoyer un bulletin de
santé quotidien. Je rentre donc par le premier train.

Paris, le 14 juillet.

Dieu merci, Robert est vivant. Le docteur Marchant
et le chirurgien m'affirment qu'il n'y a pas lieu de s'inquiéter. Mais comment ne pas voir dans cet accident un avertissement du Ciel, ainsi que me l'a dit aussitôt l'abbé
Bredel que j'ai retrouvé au chevet du lit de Robert ? La
roue de l'auto qui l'a culbuté, et qui aurait pu l'écraser,
n'a, par miracle, passé que sur le bras gauche, en travers,
occasionnant une double fracture de l'humérus, très
facile à réduire, affirme Marchant.

Ce qui m'a le plus effrayée lorsque j'ai revu Robert, c'est un bandeau qui lui cachait une partie du visage. Mais il n'a là que des ecchymoses insignifiantes, dit Marchant. Robert pourtant ressent d'assez violentes douleurs de tête, qu'il supporte avec un courage et une résignation vraiment admirables. Après tout ce que j'ai déjà écrit ici, je dois ajouter que je me tourmentais de ce qu'il allait me dire; ou plus exactement de l'agacement que je craignais d'en éprouver. Mais, dès ses premiers mots, j'ai senti que je n'avais pas cessé de l'aimer.

— Je te demande pardon pour tout l'ennui que je vous cause, — m'a-t-il dit simplement.

Et comme je me penchais vers lui : — Non, ne m'embrasse pas, je suis trop laid, — a-t-il ajouté en souriant malgré ses souffrances.

Je me suis jetée à genoux au pied de son lit en pleurant et, silencieusement, j'ai remercié Dieu d'être resté sourd à ma plainte impie, de m'avoir conservé Robert, de m'avoir refusé cette liberté criminelle que je prends honte d'avoir souhaitée, ce dont je demande pardon à Dieu de tout mon cœur.

Que Dieu mette ainsi ma constance à l'épreuve, c'est ce que je sentirais mieux encore, si l'abbé ne cherchait pas à m'en convaincre. C'est contre ce qu'il me dit à présent que je regimbe, au moment même où d'autre part je me soumets; comme si l'esprit de révolte, que j'accueillais imprudemment et que je repousse à présent, se rabattait sur cette maigre prise. Je lui laisse cet os à ronger. Mais je comprends aujourd'hui combien l'abbé était en droit d'accuser mon orgueil dans ma révolte

d'hier; combien entre en effet d'orgueil dans cette mes-
quine irritation qui me prend à l'entendre à présent me
prêcher un devoir que j'accepte et que plus n'est besoin
qu'il m'enseigne. De cela aussi, mon Dieu, je m'accuse,
et je saurai m'humilier jusqu'à prendre exemple de Robert
dont je méconnaissais les mérites.

Maman s'offre à me remplacer près de Gustave et part
ce soir pour Arcachon.

16 juillet.

Robert continue à se plaindre de vives douleurs de
tête, mais la radiographie, à laquelle on l'a soumis hier,
a pleinement rassuré Marchant, qui d'abord craignait une
fracture du crâne. Quant au bras, c'est simplement une
affaire de patience, affirme-t-il; dans un mois, Robert en
aura recouvré l'usage. Je me rassure aussi; mais, hélas,
l'inquiétude était-elle nécessaire pour m'incliner et me
rapprocher de Robert, ou pour obtenir de lui des accents
qui trouvent écho dans mon cœur ? Je crois qu'il a eu
peur de mourir, et sans doute est-ce cette crainte qui,
pour la première fois de sa vie, lui fit rendre un son véritable. Mais cette appréhension de la mort, c'est depuis
qu'il ne l'a plus vraiment, qu'il la joue et qu'il invente
des *novissima verba* sublimes. Et c'est depuis que je ne
suis plus inquiète pour lui que j'observe froidement
tout cela.

Il s'émeut au son de sa propre voix jusqu'aux larmes et
nous en ferait verser à tous si nous ne le savions parfaite-

ment hors de danger. Cependant il est bien trop fin pour
ne pas comprendre qu'avec certains il en serait pour ses
frais, aussi proportionne-t-il ses effets au crédit dont il
sent qu'il dispose. Avec Marchant, il ne se risque guère,
mais fait l'esprit fort et plaisante ; il réserve le pathétique
pour l'abbé qui le trouve « édifiant », pour papa qui le
trouve « antique » et sort de la chambre en étouffant de
gros sanglots. Je crois qu'en face de moi il ne se sent pas
bien à son aise et craint de donner prise, car il s'efforce
d'être simple, ce qui, pour lui, est on ne peut moins naturel. Mais je suis toute surprise de voir qu'il y a une personne devant laquelle il s'observe encore davantage : c'est
Geneviève. Hier, à certaines paroles de son père, pas
trop pompeuses pourtant, j'ai vu se dessiner sur ses
lèvres une sorte de sourire, un pli narquois, et son regard
a cherché le mien, qu'aussitôt j'ai chargé du plus de sévérité que j'ai pu. Nous ne pouvons empêcher nos enfants
de nous juger, mais il m'est intolérable que Geneviève
puisse espérer trouver en moi un assentiment à sa malice.

17 *juillet.*

Marchant ne s'explique pas bien l'état de Robert qui
continue à se plaindre de douleurs de tête ; ou du moins,
car j'ai tort de dire qu'il se plaint, en silence il crispe par
instants ses traits, serre les dents, comme quelqu'un qui
maîtrise une violente douleur, et, si alors on lui demande
s'il souffre, fait signe que oui, non pas même par un
hochement de tête, mais, ce qu'il estime sans doute plus

éloquent, par un simple clignement de paupières sur un
regard agonisant. Marchant soutient qu'il n'a rien et reste
assez sceptique, je crois, sur l'authenticité de ces affres,
perplexe tout au moins et dans l'expectative. Il a appelé
en consultation un confrère, qui n'y voit rien de plus
que lui et m'affirme que j'aurais tort de m'effrayer. Mais
je sens bien qu'il ne plaît pas à Robert d'être rassuré, ou
plutôt qu'il lui déplaît qu'on nous rassure.

— La science des hommes est chose bien précaire,
a-t-il formulé sentencieusement, après que les docteurs
sont partis, ajoutant, pour plus de solennité : — et je
parle des plus savants.

Mais, hier, il n'a consenti à prendre aucune nourriture,
a condamné sa porte qu'assiégeaient un trop grand nombre d'importuns, et, ce matin, il a demandé qu'on fasse
revenir d'Arcachon ma mère et Gustave. Une dépêche
les annonce pour ce soir.

L'écueil, pour lui, ce sont les phrases trop connues,
les « dernières paroles » célèbres, les « clichés »; il le sent
et j'admire avec quel art il les évite. Du reste il parle peu.
On n'a pas toujours du sublime inédit à son service.
Mais une de ses plus récentes inventions, c'est de se
déprécier à plaisir; cela prend à merveille sur l'abbé, qui
n'y voit qu'humilité chrétienne et contrition. Quand
Robert le sait près de son lit :

— Voici le moment, murmure-t-il en fermant les yeux,
de comparer le peu de bien qu'on a fait à tout le bien
que l'on aurait pu faire.

Puis, comme chacun de nous se tait, il reprend :

— Je me suis beaucoup agité pour pas grand-chose;
— et, tournant les yeux vers l'abbé : — Espérons que Dieu
ne mesure pas l'effort de l'homme au peu de résultat qu'il
obtient.

Une potion calmante que je lui verse fait entracte;
après quoi, le voici qui reprend :

— L'eau courante n'est pas un bon miroir, mais quand
l'eau se repose, l'homme peut y contempler son visage.

Alors il reprend souffle, se tourne du côté du mur,
comme pour détourner son regard d'une vision trop
abjecte, et, plus haut, sur un ton de reproche, de chagrin,
de dégoût, de mépris et d'intime désolation :

— Je n'y vois que niaiserie, méchanceté, suffisance...

L'abbé l'interrompit :

— Allons, allons, mon ami; Dieu qui lit dans le secret
des cœurs saura bien y distinguer autre chose encore.

Hélas, pour moi je ne peux plus y voir que comédie.

                                        18 *juillet*.

Maman est rentrée hier soir avec Gustave. Avant de
recevoir son fils, Robert a voulu faire un peu de toilette;
mais il a tenu à conserver l'inutile bandeau qui lui couvre
la moitié du front. Sous prétexte que la lampe lui fatiguait
les yeux, il l'a fait poser de manière que son visage restât
dans la pénombre. Papa était allé rejoindre ma mère et
Gustave dans le salon et leur donnait les très rassurantes
nouvelles; Geneviève restait avec moi dans la chambre,
ainsi que Charlotte qui achevait de ranger les affaires de

toilette. Nous avions l'air de préparer un tableau vivant.
Quand tout fut prêt, Geneviève fit entrer.

Il eût été bien naturel que Gustave accourût embrasser
son père; mais celui-ci ne l'entendait pas ainsi. Il tenait à
ce moment les yeux fermés et son visage avait pris une
expression si majestueuse, que Gustave s'arrêta tout
interdit. Papa et maman restaient un peu en arrière. On
entendit Robert :

— Et maintenant, approchez-vous... car je me sens
très faible.

Il rouvrit un œil, pour voir Charlotte qui faisait mine
de se retirer discrètement.

— Restez, restez, ma bonne Charlotte; vous n'êtes
pas de trop.

Après toutes les phrases finales de ces jours derniers,
j'étais assez curieuse de ce qu'il allait encore inventer;
mais le sentiment paternel pouvait fournir de nouveaux
thèmes. S'adressant donc particulièrement à Geneviève
et à Gustave qui s'étaient rapprochés du lit, comme des
acteurs bien stylés :

— Mes enfants, c'est à vous à présent de prendre le
flambeau que...

Mais il ne put achever sa phrase. Comme n'y tenant
plus, Geneviève lui coupa tout à coup la parole et, d'une
voix claire et presque enjouée :

— Mais, papa, tu nous parles comme si tu te disposais
à nous quitter. Nous savons tous que tu es presque guéri
et que tu pourras te lever dans quelques jours. Tu vois
que tu ne fais pleurer que Charlotte. Quelqu'un qui entre-
rait croirait qu'elle est seule à avoir du cœur.

— Monsieur Gustave voit bien que son papa pleure
aussi, — s'écria Charlotte (et en effet, Robert, en parlant,
versait de grosses larmes), puis, s'étant rapprochée un peu
du lit et encouragée par notre silence : — Si Monsieur
se sent faible, c'est peut-être seulement qu'il a besoin de
prendre. Je m'en vais lui chercher du bouillon.

Après quoi il ne resta plus à Robert qu'à demander si
maman avait fait bon voyage et si Gustave s'était plu à
Arcachon.

19 *juillet.*

Geneviève n'aime pas son père. Comment ai-je mis si
longtemps à m'en apercevoir ? C'est aussi que je me suis
depuis longtemps fort peu souciée d'elle. Toute mon
attention se portait sur Gustave dont la santé délicate
exigeait mes soins; je reconnais aussi que je m'intéressais
à lui davantage; tout comme son père, il sait plaire, et je
retrouve en lui tout ce qui, chez Robert, m'avait naguère
tant charmée avant de me tant décevoir. Quant à Geneviève, je la croyais absorbée par ses études, indifférente
à tout le reste. A présent j'en viens à douter si j'eus raison
de l'encourager à s'instruire. Je viens d'avoir avec elle
une conversation terrible, où tout à la fois j'ai compris
que c'était avec elle que je pourrais le mieux m'entendre,
compris également pourquoi je ne veux pas m'entendre
avec elle : c'est que je crains de retrouver en elle ma propre
pensée, plus hardie, si hardie qu'elle m'épouvante. Toutes
les inquiétudes, tous les doutes, qui purent m'effleurer

parfois, sont devenus chez elle autant de négations effron-
tées. Non, non, je ne veux pas consentir à les reconnaître.
Je ne puis accepter qu'elle parle de son père avec tant
d'irrespect; mais, comme je tentais de lui faire honte :
« Avec ça que toi tu le prends au sérieux », m'a-t-elle jeté
à la face, si brutalement que je me suis sentie rougir et
n'ai su rien lui répondre, ni lui cacher ma confusion.
Elle m'a déclaré sitôt ensuite qu'elle ne pouvait admettre
le mariage s'il devait conférer au mari des prérogatives;
que, pour sa part, elle n'accepterait jamais de s'y soumettre,
qu'elle était bien résolue à faire, de celui dont elle s'épren-
drait, son associé, son camarade, et que le plus prudent
était encore de ne l'épouser point. Mon exemple l'avertissait, la mettait en garde et, d'autre part, elle ne saurait
trop me remercier de l'avoir, par l'instruction que je lui
avais donnée, mise à même de nous juger, de vivre d'une
vie personnelle et de ne point lier son sort à quelqu'un
qui peut-être ne la vaudrait point.

Tandis qu'elle marchait à grands pas dans la pièce, je
restais assise, accablée par le cynisme de ses propos. Je
l'ai priée de baisser la voix, craignant que son père pût
l'entendre, mais elle alors :

— Eh bien ! quand il nous entendrait... Tout ce que
je te dis, je suis prête à le lui redire; tu peux même le lui
redire toi-même. Redis-le-lui. Oui; c'est ça, redis-le-lui.

Il me parut qu'elle ne se possédait plus; je la quittai.
Tout ceci se passait il y a quelques heures à peine...

20 *juillet.*

Oui, ceci se passait hier, avant le dîner. Et sans doute
Geneviève a-t-elle été sensible à la tristesse que, durant
le repas, je ne parvenais pas à cacher. Elle est venue me
retrouver dans la soirée. Elle s'est jetée dans mes bras
comme une enfant; elle me caressait le visage et m'embras-
sait comme elle faisait jadis, et si tendrement que je n'ai
pu retenir mes larmes.

— Ma petite maman, je t'ai fait du chagrin, — m'a-
t-elle dit. — Il ne faut pas trop m'en vouloir; mais, vois-tu,
avec toi, je ne puis pas, je ne veux pas mentir. Je sais que
tu peux me comprendre, et moi je te comprends beaucoup mieux que tu ne voudrais. Il faut que je te parle
davantage. Il y a des choses, vois-tu, que tu m'as appris
à penser et que tu n'oses pas penser toi-même; des choses
auxquelles tu crois que tu crois encore et auxquelles, moi,
je sais que je ne crois plus du tout.

Je me taisais, n'osant lui demander quelles étaient ces
choses; et brusquement, elle m'a demandé si c'était à
cause d'elle et de Gustave que j'étais restée fidèle à leur
père ? « car je n'ai jamais douté que tu ne lui sois restée
fidèle », a-t-elle ajouté en me considérant fixement, comme
on regarde un enfant qu'on chapitre. Si monstrueux que
me parût ce retournement de nos rôles, j'ai protesté que
l'idée de tromper mon mari n'avait jamais effleuré ma
pensée; elle me dit alors qu'elle savait très bien que
j'avais aimé Bourgweilsdorf.

— Il se peut, mais je n'en ai moi-même rien su, — ai-je riposté sèchement.

Mais elle :

— Tu pouvais ne pas te l'avouer, mais lui s'en doutait bien, j'en suis sûre.

Je m'étais levée pour m'écarter d'elle, prête à quitter la pièce si elle continuait de me parler ainsi, en tout cas décidée à ne plus lui répondre. Il y eut un assez long silence et je me suis assise, ou plutôt laissée tomber dans un autre fauteuil, car je me sentais à bout de forces. Aussitôt elle s'est précipitée de nouveau dans mes bras, s'est assise sur mes genoux, et, plus caressante que jamais :

— Mais, maman, comprends bien que je ne te blâme pas.

Et comme je sursautais à ces mots, elle m'a pris les deux bras pour m'immobiliser, en riant, comme pour atténuer par un ton de gaminerie l'intolérable inconvenance de ses paroles.

— Je voudrais seulement savoir s'il y a eu de ta part un sacrifice ?

Elle était redevenue très sérieuse; quant à moi je faisais effort pour garder un visage impassible; elle a compris que je ne lui répondrais point et a repris :

— Quel beau roman je pourrais écrire sous ta dictée ! Ça s'appellerait : *Les Devoirs d'une Mère ou le Sacrifice inutile.*

Et comme je ne disais toujours rien, elle a commencé à remuer la tête de droite et de gauche en manière de lente dénégation :

— Ce n'est pas parce que tu t'es faite l'esclave de ton devoir... — puis elle s'est reprise : — d'un devoir imagi-

naire... Non, non, tu sens bien que je ne puis pas t'en
être reconnaissante. Non, ne proteste pas. Je crois que
je ne pourrais plus t'aimer si je me sentais ton obligée, si
je sentais que tu me crois ton obligée. Ta vertu est à toi ;
je ne supporte pas de me sentir engagée par elle. — Puis
changeant de ton brusquement :

— Maintenant dis-moi vite n'importe quoi pour que
tout à l'heure, quand je serai seule dans ma chambre,
je ne sois pas furieuse de t'avoir dit tout cela.

Je me sentais mortellement triste et n'ai pu que l'embrasser sur le front.

Je n'ai pas dormi cette nuit. Les phrases de Geneviève
retentissent dans le vide affreux de mon cœur. Ah ! je
n'aurais pas dû la laisser parler. Car à présent je ne sais
plus si c'est elle qui parle, ou moi-même. Cette voix que
j'ai laissée s'élever, voudra-t-elle jamais plus se taire ? Si
je ne suis pas plus effrayée, c'est que ma lâcheté me
rassure. Ma pensée se révolte en vain ; malgré moi je
reste soumise. Je cherche en vain ce que j'aurais pu faire
de plus, ce que j'aurais pu faire d'autre dans la vie ; malgré
moi je reste attachée à Robert, à mes enfants qui sont les
enfants de Robert. Je cherche où fuir, mais je sais bien
que cette liberté que je souhaite, si je l'avais je ne saurais
qu'en faire. Et j'entends comme un glas ces mots que
Geneviève me disait un jour en riant :

— Tu auras beau faire, ma pauvre maman, tu ne seras
jamais qu'une honnête femme.

22 juillet.

J'écrirai mes pensées sans suite...

Le respect de mes enfants me retenait, et j'aimais à m'appuyer contre; ce soutien, Geneviève me l'enlève. Je n'ai même plus cela pour m'aider. C'est contre moi seule à présent que je me débats; ce n'est que de ma propre vertu que je me sens irrémédiablement prisonnière.

Et si encore Robert me fournissait quelques griefs ! mais non; ces défauts dont je souffre et que j'ai pris en haine, ce n'est pas contre moi qu'il les tourne et je ne puis lui reprocher que son être; du reste aucun autre amour ne m'entraîne, et je ne songe pas à le trahir, du moins pas autrement qu'en m'en allant. Ah ! je voudrais seulement le quitter...

Si encore il était infirme ! S'il ne pouvait se passer de moi !

Ce n'est pas avant quarante ans que je puis renoncer à vivre. Dieu ne m'accordera-t-il point d'autres devoirs que ce mortel effacement et une résignation misérable ?

Quel conseil espérer ? et de qui ? Mes parents sont dans l'admiration de Robert et me croient parfaitement heureuse. Pourquoi les détromper ? Qu'espérer d'eux, sinon de la pitié peut-être, dont je n'ai que faire ?

L'abbé Bredel est trop âgé pour me comprendre. Et que me dirait-il de plus que ce qu'il me disait à Arcachon, qui ne fit qu'augmenter ma détresse : m'ingénier à cacher aux enfants la médiocrité de leur père. Comme si... Mais

je ne veux point lui parler de la conversation que je
viens d'avoir avec Geneviève; ceci ne ferait que l'enfoncer
dans l'opinion qu'il a d'elle, qui n'est pas bonne; et je
sais bien qu'aux premiers mots qu'il m'en dirait, je pren-
drais le parti de Geneviève. Quant à elle, jamais elle
n'a pu supporter l'abbé, et tout ce que je puis obtenir,
c'est qu'elle ne lui dise pas d'insolences.

Marchant ?... Avec lui, certes oui, je pourrais m'entendre. Je ne m'entendrais que trop bien. C'est pour cela
que je me tais. Et puis je ne me pardonnerais pas de troubler le bonheur d'Yvonne. Je suis trop son amie pour
ne pas tout lui cacher.

Mais tandis que j'écris ceci, une idée surgit soudain
en moi. Elle est peut-être absurde, mais je la sens impé-
rieuse : la personne à qui je dois parler de Robert, c'est
Robert lui-même. Ma résolution est prise : je lui parlerai
dès ce soir.

                                        23 juillet.

Hier soir je m'apprêtais à passer dans la chambre de
Robert pour cette explication que je m'étais promis
d'avoir avec lui, lorsque papa s'est fait annoncer. Il lui
est si peu habituel de venir à cette heure tardive que je
me suis d'abord écriée :

— Maman n'est pas souffrante ?

— Ta maman va parfaitement.

Et, tandis qu'il me pressait dans ses bras :

— C'est toi, mon petit, qui ne vas pas. Ta, ta ta, ne

proteste pas. Voilà déjà longtemps que je sens qu'il y a
quelque chose qui cloche... Ma petite Éveline, je ne peux
pas supporter de te sentir malheureuse.

J'ai commencé par dire :

— Mais, papa, tout va très bien. Qu'est-ce qui te
fait croire ?...

J'ai dû m'interrompre, car il m'avait posé ses deux
mains sur les épaules et me regardait si fixement que j'ai
senti que je me décontenançais.

— Ces pauvres yeux battus en disent long. Voyons,
ma petite fille... ma petite Éveline, pourquoi te caches-tu
de moi ? Robert te trompe ?

Cette question était si inattendue que je m'écriai bêtement, comme malgré moi :

— Ah ! plût au Ciel !...

— Mais... alors c'est sérieux. Voyons, parle : qu'est-ce
qu'il y a ?

Il était si pressant que je n'ai plus pu me retenir.

— Non, Robert ne me trompe pas, — lui ai-je dit. —
Je n'ai rien à lui reprocher; et c'est précisément ce qui
me désespère.

Et comme je voyais qu'il ne comprenait pas.

— Tu te souviens, quand, dans les premiers temps, tu
t'opposais à mon mariage, je te demandais alors ce que
tu reprochais à Robert, et je m'indignais quand tu ne
trouvais rien à me dire. Pourquoi ne me répondais-tu pas ?

— Mais, ma petite enfant, je ne sais plus. Il y a si longtemps... Oui, j'ai d'abord méjugé Robert. Ses façons ne
me plaisaient pas. Heureusement j'ai assez vite compris
que je me trompais...

— Hélas ! papa, c'est alors que tu le jugeais bien.
Ensuite tu as cru que tu te trompais parce que j'étais
heureuse avec lui. Mais cela n'a pas duré. J'ai compris
à mon tour... Non, tu ne te trompais pas. J'aurais dû
t'écouter alors, comme je faisais quand j'étais une petite
fille bien sage.

Il est resté longtemps, hochant la tête, comme accablé.
Il murmurait :

— Mon pauvre petit... Mon pauvre petit — si tendrement que je me désolais de lui causer tant de peine. Mais
il fallait aller jusqu'au bout. J'ai fait appel à tout mon
courage et j'ai dit :

— Je veux le quitter.

Il a eu un sursaut de tout le corps et a fait : « Hé là !
Hé là ! » sur un ton tellement bizarre que j'aurais ri si
j'en avais eu le cœur. Puis il m'a prise près de lui sur le
canapé où il était assis et, tout en me caressant les cheveux :

— C'est ton abbé qui en ferait une drôle de tête, si
tu faisais cette bêtise-là. Tu lui as parlé de tout ça ?

Je fis signe que oui, puis dus lui avouer que je ne
m'entendais plus avec l'abbé aussi bien que par le passé,
ce qui le fit sourire et me regarder d'un petit air gouailleur.
L'idée de cette victoire indirecte sur quelqu'un qu'il
avait toujours eu en grippe semblait l'amuser beaucoup.

— Tiens ! tiens... Mais changeant de ton : — Ma chère
enfant, parlons sérieusement, c'est-à-dire pratiquement.

Alors il m'expliqua que si je quittais le foyer conjugal,
je mettrais de mon côté tous les torts.

— On ne comprend d'ordinaire le prix d'une bonne
réputation qu'après qu'on l'a perdue. Ma petite Éveline

a toujours été un peu chimérique. Où irais-tu ? Que
ferais-tu ? Non, non ; c'est avec Robert que tu dois continuer à vivre. Somme toute ce n'est pas un méchant
garçon. Si tu tâchais de t'expliquer avec lui, il compren-
drait peut-être...

— Il ne comprendra pas ; mais je lui parlerai tout de
même, et cela ne fera que resserrer le nœud coulant.

Alors il a repris disant qu'il ne fallait pas chercher à
s'en échapper mais « à établir un *modus vivendi* » et à « chercher un tempérament ». Il use volontiers des mots qui lui
en imposent un peu, comme pour se prouver à lui-même
qu'ils ne lui font pas peur. Puis, sans doute dans l'espoir
de me consoler, il s'est mis à me parler de ma mère et à
me raconter comment lui non plus n'avait pas trouvé
dans le mariage tout ce qu'il en avait attendu. Il ne s'en
était encore jamais ouvert à personne, m'a-t-il dit, aussi
paraissait-il extraordinairement soulagé de pouvoir enfin
y aller et s'en donnait-il à cœur joie. Je ne me sentais
point le courage de l'interrompre, mais j'étais indicible-
ment gênée par ses confidences, aussi gênée que dans
mon atroce conversation avec Geneviève. Je pense que,
d'une génération à l'autre, il n'est pas trop bon que ces
communications s'établissent, qui violentent chez l'un
des deux une pudeur qu'il vaut sans doute mieux respecter.

Il y avait encore une autre raison à ma gêne, dont il
m'est désagréable de parler car j'aime trop papa pour ne
pas souffrir d'avoir à le juger et je voudrais ne jamais
le trouver en faute, une raison sur laquelle je me tairais
si je ne me devais ici d'être sincère. Lorsque papa en
vint à me raconter ses ambitions de jeunesse et tout ce

qu'il estimait qu'il eût pu faire s'il se fût senti mieux compris et plus secondé par maman, je ne pouvais me retenir de penser qu'il n'eût tenu qu'à lui d'obtenir de lui davantage et que, s'il n'avait pas su tirer meilleur parti de son intelligence et de ses dons, il ne lui déplaisait pas d'en croire maman responsable. Je ne doute pas qu'il n'ait souffert de l'esprit uniquement pratique et borné de maman, mais je crois qu'il aime assez pouvoir dire : « Ta mère ne veut pas... Ta mère n'est pas d'avis que... » et à se reposer là-dessus.

Il m'a dit ensuite qu'il ne connaissait pas de ménage dont l'union fût si parfaite que l'un des deux époux n'ait pu souhaiter parfois ne s'être jamais engagé. Je n'ai pas protesté car papa n'aime pas beaucoup qu'on le contredise, mais je ne puis admettre cela qui me fait l'effet d'un blasphème.

Notre conversation s'est prolongée fort avant dans la nuit. Papa en a été, je crois, très réconforté et n'a pas compris qu'il me laissait plus désespérée que jamais.

24 *juillet*.

Un nœud coulant... Et tout effort pour m'en dégager le resserre... La grande explication avec Robert a eu lieu. J'ai joué ma dernière carte et perdu la partie. Ah ! j'aurais dû fuir sans rien dire, ni à papa, ni à personne. Je ne peux plus. Je suis vaincue.

J'ai trouvé Robert étendu sur sa chaise longue, car il commence à quitter son lit depuis quelques jours.

— Je venais voir si tu n'avais besoin de rien, — lui
ai-je dit, cherchant quelque entrée en matière.

De sa voix la plus angélique :

— Non merci, chère amie. Ce soir je me sens vraiment
mieux et commence à croire que la mort ne veut pas
encore de moi.

Puis, comme il ne manque pas une occasion de marquer
sa générosité, sa délicatesse et sa grandeur d'âme :

— Je t'ai donné bien du souci. Je voudrais être sûr
que je mérite tous les soins qu'on m'a prodigués.

Je m'efforçais de le regarder avec indifférence :

— Robert, je voudrais avoir avec toi une conversation sérieuse.

— Tu sais, mon amie, que je ne me refuse jamais à
parler sérieusement. Quand on a vu la mort d'aussi près
que je l'ai vue ces jours derniers, on est tout naturellement
porté aux pensées graves.

Mais brusquement je cessai de comprendre de quoi je
me plaignais et ce que j'étais venue dire. Ou plus exactement : ce dont j'avais à me plaindre me parut tout à coup
parfaitement informulable. Surtout je ne savais comment,
par quelle phrase, par quelle question commencer; pourtant j'étais fermement résolue à engager la lutte et me
redisais, jusqu'à l'affolement : « Tu ne le feras jamais si tu
ne le fais pas maintenant. » De sorte qu'il me parut qu'il
n'importait peut-être pas beaucoup par quelle phrase
ouvrir l'attaque et que le mieux était de se fier à une sorte
d'inspiration qui ne manquerait pas de me secourir sitôt
ensuite. Alors, comme un plongeur qui se lance les yeux
fermés dans le gouffre :

— Je voudrais, Robert, que tu me dises, si tu t'en souviens encore, pour quelles raisons tu m'as épousée.

Certainement il s'attendait si peu à une question de ce genre qu'il en parut un instant tout étonné. Un instant seulement, car Robert, en quelque situation que les événements le mettent, est toujours extraordinairement prompt et habile à se ressaisir. Il me rappelle ces marionnettes à tête légère qui d'elles-mêmes se redressent toujours sur leurs pieds. Tout en me regardant pour tâcher de comprendre quelle intention cachaient mes propos et pour doser sans doute sa défense :

— Comment peux-tu parler ici de raisons, quand il s'agit de sentiments ?

Robert sait s'y prendre de manière à dominer toujours un adversaire. Quoi qu'on fasse, le point de vue où il se place semble aussitôt le plus élevé. Je sentis que j'allais, comme aux échecs, perdre l'avantage de l'attaque. Mieux valait l'amener de nouveau à se défendre :

— Je t'en prie, tâche de me parler simplement.

Il protesta tout aussitôt :

— On ne peut pas parler plus simplement que je fais.

C'était vrai, et je sentis aussitôt l'imprudence de ma phrase. Elle contenait un vieux reproche qui certes avait eu le temps de grossir dans mon cœur; mais, pour une fois, ce reproche était immotivé.

— Oui, ceci, tu me le dis simplement. Mais le plus souvent ta grandiloquence m'accable, et tu te réfugies dans des régions sublimes où tu sais que je ne pourrai pas te suivre.

— Il me semble, chère amie, — dit-il en souriant affablement et de son ton le plus suave, — que, pour l'instant, c'est toi qui ne parles pas simplement. Voyons, dis-moi tout net : tu as quelque chose à me reprocher. Je t'écoute.

Mais le mode de Robert, cette façon de s'exprimer qui m'était devenue à ce point insupportable, c'est moi qui la prenais à présent, tout comme il m'arrivait quand j'étais plus jeune, par sympathie, de prendre l'accent anglais quand je parlais avec un Anglais, au grand amusement de papa. Est-ce pour la même raison que Robert en s'adressant à moi se trouvait comme forcé de parler simplement, tandis qu'irrésistiblement, en lui parlant, j'adoptais son ton et ses manières ? Je m'enferrais de plus en plus.

— Comme je me sentirais soulagée si je pouvais te reprocher quelque chose de précis, — hasardai-je. — Mais non; je ne sais que trop que tu ne te mets jamais dans ton tort, comme je viens déjà de m'y mettre moi-même sitôt que j'ai cherché à m'expliquer avec toi. Et pourtant je t'assure que je ne cède à aucun mouvement irréfléchi. Cette conversation que je me promets depuis longtemps d'avoir avec toi et que je remets de jour en jour...

Je ne pus achever; ma phrase était déjà trop longue. Je repris d'une voix si basse que je m'étonnai qu'il pût m'entendre :

— Écoute, Robert. Simplement, je ne puis plus vivre avec toi.

Pour trouver la force de parler ainsi, fût-ce à voix basse, j'avais dû cesser de le regarder. Mais, comme il se taisait, je relevai les yeux sur lui. Il me parut qu'il avait pâli.

— Si je te demande à mon tour quelles raisons tu aurais
de me quitter, dit-il — enfin, — tu serais à présent en
droit de me répondre toi aussi que c'est une affaire non
de raisons, mais de sentiments.

— Tu vois bien que je ne te le dis pas, — repris-je.
Mais lui :

— Éveline, dois-je comprendre que tu ne m'aimes
plus ?

Sa voix tremblait, juste assez pour me laisser douter si
son émotion était feinte ou sincère. J'ai fait un grand
effort et, péniblement :

— Celui que j'ai passionnément aimé était très différent
de celui que j'ai lentement découvert que tu étais.

Il haussa les sourcils et les épaules.

— Si tu parles par énigmes, je ne...

Je repris :

— J'ai peu à peu découvert que tu étais très différent
de celui que je croyais d'abord, de celui que j'avais aimé.

Alors il se passa quelque chose d'extraordinaire : je le
vis brusquement prendre sa tête dans ses mains et éclater
en sanglots. Il ne pouvait plus être question de feinte ;
c'étaient de vrais sanglots qui lui secouaient tout le corps,
de vraies larmes que je voyais mouiller ses doigts et couler
sur ses joues, tandis qu'il répétait vingt fois d'une voix
démente :

— Ma femme ne m'aime plus ! Ma femme ne m'aime
plus !...

J'étais loin de m'attendre à cette explosion. Je restais
atterrée, sans plus savoir quoi dire, non point beaucoup
émue moi-même, car évidemment je n'aime plus Robert ;

indignée plutôt de le voir recourir à des armes qui ne
me paraissaient pas loyales, en tout cas fort gênée de me
sentir la cause d'un chagrin véritable et devant lequel mes
griefs n'avaient plus qu'à battre en retraite. Pour consoler
Robert il m'eût fallu recourir à des protestations menson-
gères. Je m'approchai de lui et posai ma main sur son
front qu'il releva tout aussitôt.

— Mais pourquoi donc alors est-ce que je t'aurais
épousée ? Est-ce à cause de ton nom ? de ta fortune ? de
la situation de tes parents ? Dis ! Dis ! Mais parle un peu
pour que je comprenne. Tu sais bien que... que je...

Il semblait à présent si naturel, si parfaitement sincère
que je m'attendais à entendre : « que j'aurais pu trouver
beaucoup mieux. » Mais ce fut : « que c'est parce que je
t'aimais » qui sortit; puis, d'une voix de nouveau coupée
de sanglots :

— ... Et parce que je croyais... que... tu m'aimais.

J'étais presque scandalisée de mon indifférence. Si
sincère que l'émotion de Robert pût être à présent, le
déploiement de cette émotion me glaçait.

— Je pensais que cette explication ne serait pénible
que pour moi, — commençai-je; mais il m'interrompit :

— Tu dis que je ne suis pas celui que tu avais cru.
Mais alors toi non plus tu n'es pas celle que je croyais.
Comment veux-tu que l'on sache jamais si l'on est bien
celui que l'on doit être ?

Puis, selon son habitude de s'emparer de la pensée
d'autrui pour la plier à son usage (ce qu'il fait, je crois
bien, le plus inconsciemment du monde) :

— Mais aucun de nous, ma pauvre amie, aucun de

nous ne se maintient constamment à la hauteur de ce qu'il
voudrait être. Tout le drame de notre vie morale est là,
précisément... Je ne sais si tu saisis ?... (Cette phrase-tic
vient immanquablement lorsqu'il commence à changer
de sujet et qu'il sent que l'interlocuteur s'en rend compte)...
Il n'y a que les êtres sans idéal qui...

— Mon ami, mon ami, — fis-je doucement avec un
geste de la main pour l'interrompre, sachant bien que sur
ce terrain doctrinal une fois lancé, il ne s'arrêterait pas
de lui-même. Mon interruption le fit un peu dévier.

— Comme si, dans la vie, on n'était pas forcé d'en
rabattre... C'est-à-dire qu'on se voit forcé de ramener son
idéal à portée de prise. Mais toi, tu as toujours été une
chimérique.

Allons ! cela doit être vrai, puisque papa, hier, le disait
aussi. Je ne pus que sourire tristement. Alors Robert, par
un bondissement naturel, regagnant ces régions supérieures d'où ma plainte égoïste avait eu l'impertinence
de l'arracher :

— Tu touches d'ailleurs là, chère amie, à un problème
du plus haut intérêt, qui est celui même de l'expression.
Oui, vois-tu, il s'agit de savoir si, dans l'expression,
l'émotion s'épuise, ou, tout au contraire, si elle y prend
conscience d'elle-même, et pour ainsi dire s'y crée. On
en vient à douter, en effet, si rien existe vraiment en dehors
de son apparence et si... Je vais t'expliquer; tu vas tout
de suite comprendre.

Cette dernière phrase vient à la rescousse chaque fois
qu'il commence à s'embrouiller. Elle m'exaspère entre
toutes.

— J'ai fort bien compris, — interrompis-je. — Tu
veux dire que, ces beaux sentiments que tu exprimes, je
serais folle de m'inquiéter si tu les éprouves véritablement.

Son regard se chargea soudain d'une sorte de haine.

— Ah ! par exemple, il y a plaisir à être compris par
toi, — s'écria-t-il d'une voix presque stridente. — Alors
c'est tout ce que tu retiens de notre conversation ? Je me
laisse aller à te parler avec plus de confiance et d'abandon
que je n'ai fait à personne; je m'humilie devant toi; je
sanglote devant toi. Mes larmes ne t'émeuvent pas le
moins du monde; tu interprètes mes paroles et, sur un
ton glacé, tu m'invites à conclure que tout le sentiment
est de ton côté, et que tout mon amour pour toi n'est que...

Les sanglots de nouveau l'arrêtèrent un instant. Je me
levai, n'ayant plus qu'une idée : celle de mettre fin à un
entretien que j'avais su diriger si mal, qui tournait à ma
déconvenue et où je ne parvenais qu'à me donner l'apparence de tous les torts. Comme je posais ma main sur son
bras pour lui dire adieu, il se retourna brusquement et,
dans un élan subit :

— Eh bien, non ! non ! Ce n'est pas vrai. Tu t'es
trompée. Si tu m'aimais encore un peu, tu comprendrais
que je ne suis qu'un pauvre être, qui se débat, comme
tous les êtres, et qui cherche, comme il peut, à devenir
un peu meilleur qu'il n'est.

Il trouvait enfin les paroles les mieux faites pour me
toucher. Je me penchai vers lui pour l'embrasser, mais
il me repoussa presque brutalement :

— Non, non. Laisse-moi. Je ne puis plus voir, plus
sentir qu'une chose : c'est que tu as cessé de m'aimer.

Sur ces paroles je le quittai, le cœur alourdi d'une autre tristesse, d'une tristesse qui faisait face à la sienne et que la sienne venait de me révéler : il m'aime encore, hélas ! Je ne puis donc pas le quitter...

ÉPILOGUE

...1916.

Je m'étais promis de ne plus rien écrire dans ce cahier...
Bien peu de temps après l'explication avec Robert que
j'y raconte, les graves événements qui bouleversèrent
l'Europe sont venus balayer nos préoccupations person-
nelles. Je voudrais retrouver les convictions de mon
enfance pour pouvoir prier de tout mon cœur : Mon
Dieu ! protégez la France ! Mais je pense que les chrétiens
d'Allemagne prient de même le même Dieu pour leur
pays, malgré tout ce que l'on nous rapporte d'eux qui
tende à nous les faire considérer comme des barbares.
C'est dans la valeur de chacun de nous, de nous tous
tant que nous sommes, que la France doit trouver sa
protection, sa défense; et j'ai pu croire d'abord que Robert
l'avait profondément compris. Je l'ai vu se désoler d'être
arrêté par sa convalescence; puis, quelques mois après,
consulter Marchant sur la manière d'obtenir le certificat
médical qui lui permît de s'engager. Pourquoi m'a-t-il

fallu apprendre ensuite que sa classe allait être appelée,
qu'il courait le risque d'être versé de l'armée auxiliaire
dans l'armée active, et qu'en devançant l'appel, il restait
libre de choisir son affectation; ce qu'il fit avec la précaution la plus grande, et en usant de toutes les protections.
Pourquoi redire ici tout cela ? Je voudrais ne parler que
de la scène atroce que je viens d'avoir avec lui et qui va
décider de ma conduite. Mais comment l'expliquer si je
ne parle d'abord du nouveau conseil de revision qu'il
dut passer et où il trouva le moyen de se faire réformer
comme atteint de « céphalée chronique à la suite de trau-
matisme »; c'est alors que j'ai voulu partir pour un des
hôpitaux du front, où j'étais assurée que l'on accepterait
mes services; mais il fallait l'autorisation de Robert. Il
me l'a refusée brutalement, avec des paroles très dures,
disant que je ne faisais cela que pour le mortifier, lui
faire la leçon, lui faire honte... J'ai dû céder, attendre, et
me contenter de Lariboisière, où souvent je passais la nuit,
de sorte que je ne le voyais plus que très peu. Je fus stu-
péfaite, un matin, de le retrouver en costume militaire.
Il venait, grâce à sa connaissance de l'anglais, de se faire
accepter par un comité de secours américain, ce qui lui
permettait de revêtir un uniforme, bien que ne faisant
plus partie de l'armée, et de prendre un air martial. Mais
le pauvre n'eut guère de chance : ses déclarations patrio-
tiques lui valurent bientôt d'être désigné pour Verdun.
Comme il ne pouvait décemment se dérober, il « crut
devoir » prendre la chose crânement, si bien qu'il reçut
au bout de peu de temps la croix de guerre, à la grande
admiration de Gustave, de mes parents et de quantité

d'amis qui s'extasièrent. A Verdun même, où il m'appela
à l'aller voir, il trouvait moyen de faire figure de héros.
Je crois qu'il n'attendait que cette décoration pour se
faire renvoyer dans ses foyers, ce qui, avec les protections
dont il dispose, ne lui fut pas trop difficile. Comme je
m'étonnais de ce retour subit, qui ne concordait guère
avec les belles déclarations de constance que je lui entendais faire, il y a peu de temps, à Verdun même, il m'expliqua qu'il savait de source certaine que la guerre était
tout près de finir, et qu'il sentait qu'il pourrait à présent
être plus utile à Paris même où le moral lui paraissait
moins bon que sur le front.

Il y a deux jours de cela... Je ne lui ai pourtant fait
aucun reproche. Depuis notre pénible explication j'accepte
tout de lui sans rien dire. Ce ne sont point tant ses actes
que je méprise, ce sont les raisons qu'il en donne. Peut-
être a-t-il lu ce mépris dans mes yeux. Il s'est tout à coup
rebiffé. Sa décoration ne lui permet plus de douter de
l'authenticité de ses vertus et tout à la fois l'en fait quitte.
Moi qui n'ai pas la croix de guerre, j'ai besoin de la vertu
même, pour elle-même et non pour l'approbation qu'elle
nous vaut. La « chimérique » que je suis a besoin de réalité... Après s'être naïvement félicité de s'être tiré de la
guerre à bon compte, et comme je ne pouvais réprimer
un sourire :

— Avec ça que tu n'aurais pas fait comme moi ! —
s'est-il écrié tout à coup.

Non, Robert, ceci je ne te permets pas de le dire : je
ne te permets surtout pas de le penser. Je n'ai rien répondu, mais tout aussitôt ma résolution a été prise. J'ai pu

revoir Marchant le soir même et convenir de tout avec lui. Il a bien voulu faire pour moi les démarches nécessaires. Demain je pars sans bruit pour Châtellerault. Dans cet hôpital de l'arrière, aux yeux de tous je paraîtrai parfaitement à l'abri. C'est ce que je souhaite. Geneviève seule sait à quoi s'en tenir. Comment a-t-elle pu se rendre compte du genre de malades que l'on soigne là-bas ? Je ne sais... Elle m'a suppliée de la laisser m'accompagner et prendre du service à mes côtés. Mais je ne puis supporter qu'à son âge elle s'expose ainsi; elle a toute sa vie devant elle. « Non, Geneviève, là où je vais tu ne peux pas, tu ne dois pas me suivre », lui ai-je dit en l'embrassant très tendrement comme pour un adieu. Ma chère Geneviève non plus ne peut se satisfaire de l'apparence. Je l'aime bien. C'est pour elle que j'écris ici. C'est à elle que je lègue ce cahier si je dois ne pas revenir...

ROBERT

A

ERNEST ROBERT CURTIUS

Cuverville, 5 septembre 1929.

Mon cher ami,

Une lettre de vous, après lecture de mon École des Femmes, *m'exprimait vos regrets de ne connaître le mari de mon « héroïne » qu'à travers le journal de celle-ci.*

« — Combien l'on souhaiterait, m'écriviez-vous, de pouvoir lire, en regard de ce journal d'Éveline, quelques déclarations de Robert. »

Ce petit livre répond peut-être à votre appel. Il est tout naturel qu'il vous soit dédié.

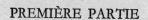

PREMIÈRE PARTIE

Monsieur,

Encore que mon premier sentiment, à la lecture de votre *École des Femmes*, ait été l'indignation, je ne me permettrai pas de vous en vouloir à vous personnellement. Vous avez jugé bon de livrer au public le journal intime d'une femme, journal que celle-ci n'aurait jamais consenti d'écrire si elle eût pu se douter du sort qui lui serait fait un jour. La mode est aux confessions, aux révélations indiscrètes, sans souci du préjudice matériel ou moral que ces indiscrétions peuvent causer aux survivants ; sans souci non plus de leur déplorable exemple. Je laisse à votre conscience (nous en avons tous une) le soin d'examiner s'il vous appartenait vraiment d'aider à une publication si nettement désobligeante pour un tiers, et, la couvrant de votre nom, d'en tirer à vous gloire... et profit. Ma fille vous y invitait, me répondrez-vous ? J'exprimerai plus loin ce que je pense de sa conduite. Je sais d'autre part, et par vos propres aveux, que vous attachez volontiers plus de poids à l'opinion des jeunes gens qu'à celle de leurs parents. Libre à vous ; mais, en l'occurrence, nous voyons où cela mène ; et où cela mènerait si plus de gens vous ressemblaient, ce qu'à Dieu ne plaise ! Suffit.

Vous étonnerai-je beaucoup si je vous dis que je ne suis pas le seul à ne consentir point à me reconnaître dans l'être inconséquent, vain, sans importance, que ma femme a portraicturé. « Protester, c'est s'avouer atteint par l'injure », a dit un ancien. Quand bien même l'injure m'aurait atteint, je serais seul à le savoir, puisque mon nom n'a jamais été prononcé. Si je dis tout cela, c'est pour que vos lecteurs comprennent que ce n'est nullement le besoin de réhabilitation qui me fait aujourd'hui prendre la plume, mais bien uniquement un souci de vérité, de justice et de remise au point.

L'opinion se forme plus facilement, mais plus injustement aussi, après l'audition d'un seul témoin qu'après qu'on a prêté l'oreille aux témoignages contradictoires. Après avoir couvert de votre nom *L'École des Femmes*, c'est *L'École des Maris* que je vous propose ; je fais appel à votre dignité professionnelle pour publier, en pendant à cet autre livre et dans les mêmes conditions de présentation et de lançage, la réfutation que voici.

Mais, avant d'entrer en matières, j'en appelle aux honnêtes gens. Que pensent-ils, je le leur demande, d'une jeune fille qui, sitôt après la mort de sa mère, s'empare des papiers intimes de celle-ci, avant même que le mari n'en ait pu prendre connaissance ? Vous avez écrit quelque part, il m'en souvient : « J'ai les honnêtes gens en horreur », et sans doute applaudissez-vous aux gestes

hardis où vous pourriez reconnaître l'influence de vos
doctrines. Dans l'audace éhontée dont ma fille fit preuve,
je vois le triste résultat de l'éducation « libérale » qu'il
plaisait à ma femme de donner à nos deux enfants. Mon
grand tort fut de lui céder, selon mon habitude, par crainte
du despotisme et par horreur des discussions. Celles que
nous eûmes à ce sujet furent des plus graves, et je m'étonne
de n'en trouver point de traces dans son journal. J'y
reviendrai.

Que l'on ne s'attende pourtant pas à me voir revenir
sur tous les points où le témoignage de ma femme me
paraît inexact. Et en particulier sur certaines insinuations
auxquelles je croirais au-dessous de ma dignité de répondre : celles qui ont trait à mon courage patriotique et à ma
conduite pendant la guerre. Éveline ne semble du reste
pas se rendre compte que, douter que j'aie vraiment
mérité ma citation, c'est jeter nécessairement un discrédit
sur l'honorabilité ou la compétence des chefs qui me l'ont
accordée. Les phrases de moi qu'elle cite, à ce sujet, les
ai-je vraiment dites ? Sincèrement, je ne le crois pas. Ou,
si je les ai dites, ce n'est pas avec le ton et les intentions
que sa malignité leur prête. En tout cas, je n'en ai pas
gardé souvenir. Et je ne l'accuse pas à mon tour d'avoir
volontairement et sciemment falsifié mon personnage.
(Je ne l'accuse de rien.) Mais je crois qu'à un certain
degré de prévention (que les Anglais appellent si bien :
prejudice) nous entendons sincèrement autrui dire ce que
nous nous attendons à l'entendre dire, et que nous obte-
nons, en quelque sorte, des paroles de lui que le souvenir n'aura même pas à déformer.

Ce dont, par contre, je me souviens fort bien, c'est que je sentais qu'Éveline en était arrivée à ce point que, quoi que ce soit que je dise, le son que mes paroles feraient dans son âme serait le même. Elle ne pouvait plus m'entendre que mentir.

Mais mon intention, je l'ai dit, n'est point de me défendre. Je préfère raconter simplement à mon tour mes souvenirs de notre vie commune. Je parlerai en particulier de ces vingt années que son journal passe sous silence. Ma tâche est ardue, car il me semble sentir, tandis que j'écris, se pencher sur mon épaule le lecteur à l'affût du moindre mot où se révèlent ma « fourberie », ma « duplicité », etc. (ce sont les mots dont se sont servis les critiques). Pourtant, si je surveille trop mon écriture, je risque de fausser ma ligne et de donner dans le piège de l'apprêt, au moment même et d'autant plus que je m'applique à l'éviter... La difficulté n'est pas mince. Je n'en triompherai, ce me semble, qu'en n'y pensant point; qu'en écrivant au courant de la plume; qu'en repartant à pied d'œuvre; qu'en ne tenant pas compte de ce qu'a pu dire de moi Éveline, ni penser de moi le public. Ne suis-je pas un peu en droit d'espérer que le public voudra bien faire de même; je veux dire : n'apporter point, en me lisant, un jugement trop préconçu ?

Une autre chose me gêne, il faut bien que je l'avoue. Les critiques ont loué à l'envi le style de ma femme. Et j'étais loin de me douter qu'Éveline pût si bien écrire. Je n'en pouvais guère juger, car, comme nous vivions toujours ensemble, je n'avais point à recevoir de lettres d'elle. Suprême éloge : on a même été supposer que ce journal avait été écrit par vous, M. Gide, qui[1]... Certes, les pages que voici ne peuvent point aspirer à donner le change. Si j'ai pu nourrir, dans ma jeunesse, quelques prétentions littéraires, je les ai vite résignées (pour parler comme vous). Et tenez, à ce sujet, pourriez-vous m'expliquer pourquoi tous les critiques (du moins ceux que j'ai lus) me présentent comme un poète raté ? alors que non seulement je n'ai jamais écrit de vers (du moins depuis mon temps de rhétorique, où, péniblement, j'avais extrait de moi quelques sonnets), mais encore jamais souhaité d'en écrire. Est-ce ma faute à moi, si Éveline m'a d'abord cru plus de dons que je n'en avais, et peut-on faire grief à quelqu'un de ne point être Racine ou Pindare, simplement parce qu'une amoureuse le prenait pour tel ?... Je voudrais insister là-dessus, parce que je crois que c'est là la raison de cruels mécomptes, tant en amitié qu'en amour : ne pas voir l'autre aussitôt tel qu'il est, mais bien se faire de lui, d'abord, une sorte d'idole que, par la suite, on lui en veut de ne pas être, comme si l'autre en pouvait mais. Du reste, moi non plus, d'abord, je ne voyais point Éveline telle qu'elle était. Mais qu'était-elle donc ? Elle ne le savait pas elle-même. Elle était celle que j'aimais. Et, aussi longtemps qu'elle m'aima, elle s'efforça de ressembler à mon idole et s'orna des vertus que je lui croyais, qu'elle savait devoir me plaire. Aussi longtemps qu'elle m'aima, elle ne s'inquiéta pas de se connaître ; elle ne souhaitait que de se confondre avec moi... Mais nous touchons ici, je crois, à un problème d'intérêt très

1. Trois lignes supprimées.

général et très grave. C'est pour tenter de l'élucider que
j'écrirai ce qui va suivre. Je voudrais d'abord dire un peu
qui j'étais avant de la connaître. Ceci aidera sans doute
à comprendre ce qu'Éveline devint pour moi.

Mon enfance n'a pas été très heureuse. Mon père tenait
un magasin de quincaillerie, dans une des rues les plus
animées de Perpignan. Je n'avais que douze ans lorsqu'il
mourut, laissant tout le poids de son négoce à ma mère
qui n'entendait pas grand-chose aux affaires et que je
crois que son premier commis grugeait. Ma sœur, de
deux ans plus jeune que moi, était de santé délicate et
nous la perdîmes quelques années plus tard. Je vivais
entre ces deux femmes, fréquentant peu les garçons de
mon âge, que je trouvais brutaux et vulgaires, et ne con-
naissant guère d'autres distractions que d'aller tous les
dimanches, en compagnie de ma mère et de ma sœur,
déjeuner chez une vieille tante célibataire qui vivait dans
une sorte de grand mas, à trois kilomètres de Perpignan.
Ma sœur et moi nous caressions ses chiens et ses chats;
nous allions pêcher des poissons rouges dans un bassin
oblong, au fond d'un petit jardin, surveillés de loin par
ma mère et ma tante. Nous amorcions nos lignes avec
de la mie de pain parce que les vers nous dégoûtaient et
que nous craignions de nous salir. C'est peut-être pourquoi
nous rentrions toujours bredouilles. Nous recommencions
néanmoins chaque dimanche et ne quittions nos lignes
que lorsque la tante nous appelait pour le goûter. Ensuite
une partie de loto-dauphin nous menait jusqu'à l'heure
du départ. La vieille calèche, qui le matin était venue

nous prendre, nous ramenait à Perpignan pour dîner.

Cette tante, qui mourut la même année que ma sœur, nous laissa sa fortune qui était inespérément belle; ce qui permit à ma mère de se reposer enfin après avoir liquidé son fonds de commerce, et à moi de pousser plus avant mes études.

J'étais un assez bon élève. Pourquoi n'osé-je pas dire: un très bon? C'est que l'application, aujourd'hui, n'est plus de mode; les dons plutôt sont en faveur. J'étais extraordinairement appliqué et, aussi loin qu'il me souvienne, je me revois tout dominé par la prépondérante idée du devoir. C'est aussi que j'aimais ma mère et voulais lui épargner tout souci. Avant l'héritage de ma tante, mon instruction nous aurait coûté trop cher, sans la bourse que je pus obtenir. Notre vie était inexprimablement monotone et morne, et je ne reviendrais pas volontiers sur ce passé, si ce n'est pour évoquer les douces figures de ma mère et de ma sœur qui fermaient l'horizon de mon cœur. Toutes deux étaient très pieuses. Mes sentiments religieux faisaient partie, me semble-t-il, de mon amour pour elles. Je les accompagnais à la messe chaque dimanche, avant que la calèche ne vînt nous emmener chez ma tante. J'écoutais fort docilement les recommandations et les conseils de l'abbé X..., qui s'intéressait à nous trois, et je veillais à n'avoir pas une pensée que je ne fusse prêt à lui dire et qu'il ne pût approuver.

Ma sœur avait seize ans quand elle mourut; j'en avais alors dix-huit. Je venais d'achever mes premières études, et l'héritage de ma tante m'eût permis d'aller suivre des

cours à Paris; mais l'idée de l'isolement où j'aurais laissé
ma mère me fit préférer Toulouse dont la proximité
me permettait de fréquents retours à Perpignan. La pré-
paration des premiers examens de droit me laissait beaucoup de liberté, que je ne songeais à employer qu'en allant
retrouver ma mère. Je lisais beaucoup, mais pouvais
aussi bien lire près d'elle. Depuis la mort de ma tante,
elle ne voyait plus que moi. L'image de ma sœur restait
entre nous; cette image m'accompagnait sans cesse et je
crois que je lui dois, autant qu'aux conseils de l'abbé X...,
cette horreur des plaisirs faciles où je voyais mes camarades se laisser entraîner. Toulouse est une ville assez
grande pour offrir aux jeunes gens dissipés maintes occasions de chute. Je proteste aujourd'hui, comme je protestais
hier, contre ces théories modernes qui tendent à diminuer
notre vertu en prétendant que les seuls désirs auxquels
on résiste sont ceux qui ne sont pas bien forts... Je veux
croire pourtant que les secours de la religion sont indis-
pensables à l'humaine faiblesse. Je les recherchai. Et c'est
aussi pourquoi je ne pris pas orgueil de ma résistance.
Au surplus je fuyais les entraînements, les mauvaises
fréquentations et les lectures licencieuses. Et même je
n'aurais pas abordé ce sujet s'il n'était besoin de faire
comprendre ce que devint pour moi Mlle X... aussitôt
que je la rencontrai. Je l'attendais.

Certainement je me rends compte aujourd'hui du
danger d'une pareille attente. Un jeune homme aussi pur
que je l'étais avec l'aide de Dieu, centralisant soudain sur
une femme unique toutes ses aspirations latentes, risque
d'auréoler à l'excès celle dont il s'éprend. Mais n'est-ce

point là le propre de l'amour ? Du reste Éveline méritait
le culte que je lui vouai tout aussitôt et je me félicitai de
n'avoir pas jusqu'alors mésusé de mon cœur, que je pus
lui offrir intact.

Mes examens passés assez brillamment, j'avais quitté
Toulouse qui n'offrait plus d'aliment suffisant à mes
curiosités intellectuelles. J'ai dit que la notion du devoir,
depuis ma tendre enfance, dominait ma vie. Mais il
m'avait bien fallu comprendre que, si j'avais des devoirs
envers ma mère, j'en avais également d'aussi sacrés envers
mon pays, ce qui revient à dire : envers moi-même, qui
ne songeais qu'à le bien servir. A l'abri désormais des
soucis d'argent, j'étais libre de disposer de mon temps à
ma guise. La peinture et la littérature m'attiraient, mais je
ne me reconnaissais par des dons assez marquants, ou du
moins assez exclusifs, pour mener une carrière d'artiste
ou de romancier. Il m'apparut que mon rôle sur cette
terre devait être plutôt de faire valoir les autres et d'aider
au triomphe de certaines idées après que j'en aurais
reconnu la valeur. De ce rôle modeste, libre à certains
orgueilleux d'aujourd'hui de sourire. Sitôt libéré du service
militaire, que je fis dans l'artillerie, ce que je commençai
donc à chercher, ce fut ma propre utilité. J'examinai ce
dont avait le plus besoin la France et commençai de fréquenter à Paris ceux qui pouvaient me renseigner ou
qu'animait un semblable zèle, outrés autant que moi par
l'état d'insouciance, d'inconscience et de désordre où
s'étiolait notre pays.

Mon beau-père s'étonna, par la suite, que je ne me sois
pas « lancé » (comme il disait) dans la politique, où il

affirmait que j'aurais dû réussir. Ses regrets à ce sujet
sont d'autant plus méritoires que je ne partageais nullement ses idées. Il considérait en effet le présent état de
choses, non certes comme parfait, mais comme parfaitement acceptable, et prenait son parti de tout, à la Philinte.
Pour moi j'estimais, j'estime encore, que le premier pas
vers le mieux consiste à considérer notre situation politique, d'où dépendent toutes les autres, comme devant
être changée. Et n'était-il pas naturel que j'eusse souci
d'appliquer à notre pays les maximes qui dirigeaient ma
propre conduite et dont j'avais éprouvé le profit ?

La politique offrait, à mon avis, trop d'aléa. Elle m'eût
obligé à des compromissions qui eussent incliné ma ligne
de conduite. Mais ce n'est pas ma justification que j'écris
ici : c'est mon histoire.

Je fréquentais un grand nombre d'hommes de lettres et
d'artistes. J'exerçai la fermeté de mon caractère à ne me
laisser entraîner par eux ni à écrire, ni à peindre, comme
m'y eussent porté mes goûts naturels. Cette abstention me
laissa d'autant plus libre de goûter la production d'autrui
et d'y aider, non point seulement par des conseils (qui
ne sont pas volontiers accueillis par ceux qui en auraient
le plus grand besoin), mais par certains appuis que mes
relations dans le monde politique me permettaient d'obtenir (sans compter une aide plus directe, souvent, et lorsque
j'étais sûr que l'artiste n'y pourrait trouver un encouragement à la paresse).

Tous ceux qui ont consenti à se livrer à une étude
approfondie de notre pays ont pu constater que les
éléments premiers en sont bons, que surtout manque la

mise en valeur où excellent nos voisins d'outre-Rhin. L'homme a besoin d'être dirigé, encadré, dominé. Et qu'eussé-je valu moi-même si je ne m'étais laissé guider par quelques idées supérieures et par des principes dont trop nombreux sont aujourd'hui ceux qui cherchent à secouer le joug.

Pour permettre de comprendre à quel genre d'activité je me livrai, rien ne vaut un exemple; j'en choisis un dont les résultats furent les plus manifestes et les mieux appréciés.

Il m'était apparu que souvent les meilleurs livres, par suite du peu d'esprit pratique de leurs auteurs, ont du mal à atteindre le public de choix qu'ils méritent. Que, par contre, un grand nombre de lecteurs, bien intentionnés mais mal renseignés, passent à côté des plus saines nourritures pour se repaître d'ouvrages souvent fort peu recommandables, qu'une habile réclame a su mettre en temps opportun sous leurs yeux. Je crus pouvoir rendre un réel service à la fois à ce public, à ces auteurs et à leurs éditeurs. Je fis valoir à ces derniers les avantages d'un projet auquel ils s'intéressèrent aussitôt. M'adressant aux meilleurs esprits de ce temps, je constituai un jury chargé de désigner périodiquement les livres qui méritaient d'être servis en pâture à ceux qui voudraient bien comprendre les garanties qu'offrait le choix d'un jury si bien composé. Les Français sont si routiniers, si confiants dans leurs goûts propres, si accessibles aux séductions de la mode, que j'eus beaucoup de mal à les persuader de s'en remettre au jugement d'autorités compétentes. Pourtant, à force de démarches, je parvins à recruter un nombre

respectable d'abonnés qui permirent d'assurer le succès
de certains ouvrages et de mon entreprise tout à la fois.
J'écartais de ces lecteurs d'élite, par ce moyen, les livres
médiocres ou pervertisseurs, que mon jury se gardait, il
va sans dire, de mentionner; car il est à remarquer qu'un
cerveau rassasié de bons livres ne garde pas beaucoup
d'appétit pour la mauvaise littérature. Le service que je
rendais ainsi ne fut, hélas ! point sensible aux yeux de ma
femme. A chaque nouvelle assemblée du jury, Éveline
s'informait ironiquement, non point des titres des ouvrages élus, mais du menu du repas qui précédait la
délibération, repas excellent il est vrai, offert par les
éditeurs et auquel les membres du jury voulaient bien me
convier.

Quant aux livres choisis, Éveline affectait de ne point
désirer les lire ou de les connaître déjà; c'est à l'indépendance de son jugement que je pouvais le mieux mesurer
la décroissance de son amour. Mais ici nous entrons dans
le vif même de la question.

Ce n'est point un journal que j'écris. Les événements
que je groupe ici s'échelonnent sur un grand nombre
d'années. Je ne puis dire exactement à quand remontent
les premières manifestations de cet esprit d'insoumission
que je commençai de remarquer chez Éveline et que,
malgré tout mon amour pour elle, force m'était de blâmer.
L'insoumission est toujours blâmable, mais je la tiens
pour particulièrement blâmable chez la femme. Durant
les premières années de notre mariage, et plus encore au
temps de nos fiançailles, Éveline épousait sans contrôle
mes opinions et mes idées, avec tant de chaleur et une si

parfaite aisance que nul n'aurait pu croire que ces opinions et ces idées ne lui fussent pas naturelles. Quant à ses goûts en littérature et en peinture, on eût dit qu'ils m'attendaient pour se former, car ses parents n'y entendaient pas grand-chose. Notre entente était donc parfaite. Je ne m'expliquai ce qui la put troubler que beaucoup plus tard ; que trop tard, alors que l'irréparable était fait.

Malgré les opinions avancées, qu'ils ne se gênaient pas pour professer en public, je continuais d'accueillir à notre foyer conjugal deux amis, le docteur Marchant et le peintre Bourgweilsdorf, l'un en raison de son grand talent, que j'étais en ce temps à peu près seul à reconnaître, l'autre à cause de son savoir et de certains services qu'il nous avait rendus. Je ne crois pas à la génération spontanée, surtout pas dans le cerveau des femmes ; les idées qui s'y développent vous pouvez être sûr que quelqu'un d'autre les a semées. Je suis prêt à reconnaître ici mes torts : je n'aurais pas dû recevoir chez moi ces libertaires, malgré toute leur science et tout leur talent, pas les laisser parler, du moins en présence d'Éveline. Elle ne cache pas, dans son journal, l'attention qu'elle leur accordait, et, comme ils étaient mes amis, j'eus d'abord la naïveté de m'en réjouir. Il est au-dessous de mon caractère d'être jaloux ; et, à vrai dire, Éveline ne me donnait pas, Dieu merci, sujet de l'être ; mais n'était-ce pas trop déjà qu'elle prêtât complaisamment l'oreille à leurs propos ? Par contre elle cessa d'écouter ceux de l'abbé Bredel qui eussent fait du moins un heureux contrepoids. Des discussions s'élevèrent entre nous. Comme, d'autre part, elle lisait beaucoup, et, dédaigneuse de mes conseils, choisissait de préférence les livres susceptibles de l'enhardir, elle ne craignait plus de me tenir tête.

Nos discussions portaient surtout au sujet de l'éducation de nos enfants.

J'ai eu maintes occasions d'observer les ravages de la libre pensée dans les ménages et les discussions qu'elle fomente entre époux. Le plus souvent c'est le mari qui renie la foi de ses pères, et dès lors il ne connaît plus de frein au dérèglement de ses mœurs. Mais je crois que, pour les enfants du moins, le mal est encore plus grand lorsque c'est la pensée de la femme qui s'émancipe, car le rôle de la femme est éminemment conservateur. En vain tâchai-je de le faire comprendre à Éveline, l'invitant à peser la responsabilité qu'elle assumait ainsi vis-à-vis de sa fille en particulier, car cette joie me fut accordée de voir mon fils écouter de préférence mes conseils. Quant à Geneviève, plus avide d'instruction que Gustave, et plus curieuse qu'il ne convient à une femme, son esprit n'était que trop naturellement enclin à suivre celui de sa mère sur les sentiers glissants de l'incroyance. Sous prétexte de la préparer pour ses examens, Éveline l'encourageait dans des lectures qui désolaient l'abbé Bredel et qui me faisaient protester contre l'instruction que l'on donne aux femmes aujourd'hui, dont le plus souvent elles n'ont que faire. Je crois que leur cerveau n'est point fait pour de pareilles nourritures et ne sait point fournir un antidote naturel pour neutraliser ces poisons. Je protestais en vain, finissais par céder, de guerre lasse, désireux de maintenir de mon mieux la paix de notre foyer déjà gravement compromise. Les résultats de cette éducation, hélas ! ont justifié toutes mes craintes. Mais, comme les plus désastreux écarts de la conduite de Geneviève ont suivi la mort de ma femme, je n'ai que faire d'en parler ici, et c'est un sujet sur lequel il me serait particulièrement pénible de m'appesantir.

Oui, je l'ai dit, mais je le répète, j'estime que le rôle de la femme, dans la famille et dans la civilisation tout entière, est et doit être conservateur. Et c'est seulement lorsque la femme prend pleine conscience de ce rôle que la pensée de l'homme, libérée, peut se permettre d'aller de l'avant. Que de fois j'ai senti que la position prise par Éveline retenait le vrai progrès de ma pensée en me forçant d'assumer dans notre ménage une fonction qui aurait dû être la sienne. D'autre part, je lui suis reconnaissant devant Dieu de m'avoir ainsi d'autant plus encouragé dans la pratique de mes devoirs, tant religieux que sociaux, et fortifié dans ma foi. Et c'est pourquoi devant Dieu je lui pardonne.

Je touche ici à un point particulièrement délicat, mais que je crois d'une telle importance que l'on m'excusera si j'y insiste quelque peu. Cette fraîcheur, cette virginité, de l'âme autant que du corps, que tout honnête homme souhaite trouver dans la jeune fille dont il se propose de faire sa compagne, Éveline me les offrait exquisement. Pouvais-je soupçonner, et connaissait-elle elle-même sa vraie nature, et tout ce que celle-ci pourrait présenter de rétif lorsqu'elle cesserait d'être dominée par l'amour? Le propre de l'amour humain est de nous aveugler aussi bien sur nous-même que sur les défauts de l'être qu'on aime; cette soumission que j'admirais en Éveline, j'ai pu

d'abord (et nous pûmes tous deux) la croire naturelle,
alors qu'elle n'était due qu'à l'amour. Du reste, je ne
souhaitais pas d'Éveline une autre soumission que celle
que j'imposais moi-même à ma propre pensée. Mais cette
« obéissance de l'esprit », que Mgr de La Serre déclarait
tout dernièrement « plus difficile peut-être que la réforme
des mœurs », ajoutant très justement : « On n'est pas
chrétien sans cela[1] », cette soumission intellectuelle qui
doit être celle de tout bon catholique, Éveline cessa
bientôt d'y prétendre; que dis-je ? Elle prétendit, au
contraire, avoir suffisamment de jugement personnel pour
pouvoir se guider elle-même et se passer de directeur, et
cela précisément alors que son esprit protestataire, qui
jusqu'à ce moment sommeillait en elle, commença d'examiner critiquement, c'est-à-dire de mettre en doute, les
directives de ma vie. Elle m'expliqua certain jour que
notre idée de la Vérité n'était sans doute pas la même
et que, tandis que je continuais à croire à une vérité divine,
extérieure à l'homme, révélée et transmise sous le regard
et avec l'inspiration de Dieu, elle ne consentait plus à
tenir pour véritable rien qu'elle ne reconnût vrai par elle-
même, malgré ce que je pus lui dire : que cette croyance
en une vérité particulière mène droit à l'individualisme
et ouvre la porte à l'anarchie.

— C'est bien de vous, d'avoir épousé une anarchiste,
mon pauvre ami ! me répondit-elle alors en souriant.
Comme s'il y avait là de quoi sourire !

Et si encore elle avait gardé ses idées pour elle-même !

1. *Études*, du 20 juillet 1929.

Mais non, il lui fallait en semer le germe chez nos enfants ; chez ma fille en particulier qui n'était que trop disposée à les accueillir et qui semblait ne chercher dans l'instruction qu'un encouragement à la libre pensée.

Ces idées dissolvantes qui, dans un cerveau tendre et mal prévenu contre elles, ainsi que l'était le cerveau de ma femme, font lentement leur chemin, je les compare aux termites qui, dans les pays tropicaux, minent et désagrègent avec une surprenante rapidité la charpente des édifices. L'apparence de la poutre reste la même ; l'intérieur est déjà tout vermoulu que rien n'annonce encore la ruine. Avant que l'on n'y ait pris garde, tout s'effondre soudain.

Sur quelle fragilité reposait mon amour ! Si j'eusse pu m'en rendre compte à temps, j'aurais su prendre des mesures pour enrayer le mal, exigé plus de soumission, prohibé certains livres dont le perfide danger me serait mieux apparu si j'avais commencé par les lire moi-même. Mais j'ai toujours pensé que le meilleur moyen d'échapper au mal est d'en détourner les regards. Il n'en était pas de même, hélas ! pour Éveline, qui prétendit bientôt juger de tout par elle-même. Je me reproche vivement ici certaine faiblesse de mon caractère ; mais, précisément peut-être parce que j'étais respectueux de l'autorité, de celle en particulier de l'Église, et par habitude de soumission, je ne sus pas exiger de moi cet acte d'autorité maritale, que pourtant me conseillait l'abbé Bredel, que tout mari bien affermi dans sa croyance doit oser, et qui sans doute eût retenu l'esprit d'Éveline sur la pente des égarements. Je ne compris que cet acte d'autorité eût été nécessaire

qu'alors qu'il n'était déjà plus opportun et eût risqué de
se heurter à une résistance impie. C'était un soir que je
lui faisais la lecture; car, en ce temps, je ne désespérais
pas encore de tout au moins contrebalancer l'effet mauvais
des livres que j'avais la faiblesse de ne pas oser lui inter-
dire. Je lui lisais, dans un tome d'œuvres posthumes du
comte Joseph de Maistre, la belle notice biographique
écrite par son fils. Éveline, qui venait d'être un peu souffrante, avait dû rester quelques jours couchée; elle recom-
mençait à se lever, mais était encore étendue sur un sofa.
Une même lampe éclairait mon livre et une pièce de la
layette qu'elle préparait pour la naissance de notre second
enfant, et qu'elle ornait de broderies. C'était en 1899.
Geneviève avait alors deux ans. Sa venue au monde avait
été facile. Celle de Gustave s'annonçait moins bien.
Éveline se sentait anormalement fatiguée; un peu d'albu-
minurie était cause sans doute d'une très déplaisante
bouffissure des traits de son visage.

— Comment pouvez-vous aimer encore quelqu'un de
si laid? me disait-elle; et je protestais aussitôt que je
reconnaissais dans ses yeux son âme, qui, elle, ne pouvait
changer. Mais je devais bien m'avouer que son regard
n'était déjà plus le même, et que cette âme je ne la reconnaissais déjà plus. J'y cherchais de l'amour encore; mais
j'y sentais surtout de la résistance et parfois presque une
sorte d'opposition. Cette opposition, que je me refusais
encore à admettre, se manifesta brusquement ce soir-là
d'une manière particulièrement déplaisante. A un passage
émouvant de ma lecture, Éveline lâcha brusquement sa
broderie, saisit son mouchoir qu'elle porta à ses lèvres,

cachant à demi son visage. Elle riait. Je posai mon livre et la regardai fixement.

— Pardonne-moi, dit-elle, j'ai tâché de me retenir, mais c'est plus fort que moi. Et tout le haut de son corps était secoué d'un fou rire qu'il apparaissait bien qu'elle ne pouvait pas maîtriser.

— Je ne vois pas ce qu'on peut trouver de comique dans... commençai-je, de mon plus calme, et même avec une nuance d'étonnement et de sévérité.

Elle ne me laissa pas achever.

— Oh ! rien de comique dans ce que tu lis, dit-elle; bien au contraire. Mais c'est le ton pénétré que tu prends...

Il me faut copier ici la phrase qui déchaînait chez ma femme cet accès d'intempestive hilarité :

« Pendant tout le temps que le jeune Joseph de Maistre passa à Turin pour suivre les cours de droit de l'Université, il ne se permit jamais la lecture d'un livre sans avoir écrit à son père ou à sa mère à Chambéry, pour en obtenir l'autorisation. »

— On sent, reprit-elle, que tu voudrais tellement me faire trouver cela admirable.

— Et je vois que je n'y parviens guère, dis-je avec plus de tristesse que de dépit. Alors, toi, tu trouves cela ridicule ?

— Immensément.

Elle ne riait plus, mais me regardait à son tour gravement, presque tristement; et c'est moi qui détournai mes yeux, par crainte de découvrir dans ce regard des sentiments que je ne pusse pas approuver. Je voulus me montrer conciliant, sachant qu'avec les femmes il faut toujours

user de souplesse et qu'on risque de tout perdre en demandant trop.

— Le comte de Maistre nous offre, lui dis-je, ce que
l'on pourrait appeler un cas limite. C'est du reste ce qui
fait son importance et sa grandeur. J'admire l'intransi-
geance de cette figure; elle tranche sur le reste des hommes
prêts à toutes les concessions; trop nombreux sont ceux
qui prennent leur parti et s'accommodent du relâchement
des mœurs, ce qui est une façon d'y aider. Mais je reconnais
qu'on ne peut exiger d'autrui les vertus auxquelles soi-
même on aspire.

— En tout cas c'est fort joliment dit, accorda-t-elle,
en riant de nouveau, mais cette fois d'un rire ouvert et
cordial, un rire que je ne devais plus longtemps entendre,
du moins plus de cette qualité pure et charmante, un rire
qui plus tard devait se charger d'ironie et de ce que
longtemps encore je me refusai à reconnaître pour du
mépris, où longtemps je ne voulus voir qu'un sentiment
de supériorité, toujours un peu choquant chez une femme.
Quoi qu'il en fût, la cordialité de ce rire me rassura. Je
voulus me montrer conciliant.

— Ces derniers temps tu t'es accordé, pour tes lectures,
des libertés, lui dis-je, que j'espère bien ne pas te voir
accorder à nos enfants.

— J'espère bien, me répondit-elle abruptement, qu'ils
sauront les prendre d'eux-mêmes.

Il y avait du défi dans sa voix et je sentais que cette
phrase excédait sa pensée. Je ne voulus y voir qu'une
boutade, mais que je me devais de ne pas laisser sans
riposte :

— Heureusement que je suis là, dis-je un peu sévèrement. Le rôle des parents est de protéger leurs enfants. Ils pourraient s'empoisonner sans le savoir, céder à de malsaines curiosités.

Elle m'interrompit :

— Toi, tu as toujours fait de l'incuriosité une vertu.

— Les dangers de la curiosité m'apparaissent suffisamment en toi, repris-je. L'homme doit être curieux de ce qui peut, non ébranler sa foi, mais l'affermir.

La protestation qui manifestement montait à ses lèvres, Éveline ne la formula point. Je vis ses lèvres se fermer, se serrer comme pour s'opposer à une pression intérieure, comme pour refouler en elle-même des pensées qu'elle me cacherait désormais et se refuserait à me laisser combattre. Je me tus aussi, car, en face de ce silence, que me restait-il à faire, sinon de prier Dieu et la Sainte Vierge, remettant entre leurs mains une protection qui m'échappait. C'est ce que je fis abondamment ce même soir.

Notre conversation avait du reste été plus longue, car je me souviens de lui avoir encore dit ce soir-là, au sujet de Joseph de Maistre et de sa soumission aux jugements de ses parents :

— L'homme obéit toujours à quelqu'un ou à quelque chose. Mieux vaut obéir à Dieu qu'à ses passions ou ses instincts ! propos qui m'avaient été suggérés par quelques réflexions de l'abbé Bredel; et sans doute, précisément parce qu'elles ne sont pas proprement miennes, m'est-il permis de donner ces réflexions en parfait exemple de la profondeur à laquelle peut prétendre d'atteindre une pensée respectueuse et soumise.

Et j'ajoute encore ceci qui m'apparaît ce soir dans une
sorte d'illumination, due certainement à l'état d'oraison
où je me suis maintenu ces temps derniers avec le secours
de Dieu : toute vraie pensée n'est qu'une réflexion, qu'un
reflet. Réfléchir, comme le mot l'indique, c'est refléter
Dieu. D'où il suit que toute pensée véritable est soumise
à Dieu. L'homme qui croit penser par lui-même et qui
détourne de Dieu son cerveau-miroir cesse à proprement
parler de *réfléchir*. La pensée la plus belle est celle où Dieu,
comme dans un miroir, peut proprement se reconnaître.

Ces dernières vérités ne m'apparaissent malheureusement qu'aujourd'hui; si j'en avais pu faire part à Éveline
ce soir susdit, il me semble qu'elles eussent été d'assez
de vertu pour la convaincre. Hélas ! combien souvent
les paroles que nous aurions dû dire ne nous viennent-
elles à l'esprit que trop tard !

Les douleurs de l'accouchement commencèrent trois
jours après cette soirée qui pour moi fut mémorable, car
j'y pris pour la première fois conscience très nette de
cette fissure qui sans doute avait depuis longtemps déjà
commencé de se produire entre Éveline et moi, que déjà
je percevais vaguement, mais à laquelle jusqu'à présent
je me refusais de prêter attention, sachant trop que,
souvent, pour les sentiments, c'est l'attention que nous
leur accordons qui fortifie leur existence et que cessent
d'être ceux que nous nous refusons à considérer. C'est
par l'examen de l'inavouable que nombre de romanciers
d'aujourd'hui exercent une si préjudiciable influence. Mais
cette fissure, qui devait devenir un gouffre bientôt, je ne

pouvais plus ne pas la voir, ne pas en tenir compte...
J'étais en ce temps fort occupé et ne me trouvais pas à
la maison au moment des premières douleurs. Je m'occu-
pais alors d'une nouvelle affaire dont je venais d'avoir
l'idée et que mon activité fit si pleinement réussir que je
crois bon d'en dire ici quelques mots. Cette idée se greffait
sur cette autre, dont j'ai déjà parlé, d'un choix de livres
recommandables désignés par un jury compétent. Il me
parut que les lecteurs de ces livres accepteraient volontiers
d'être guidés également dans le choix de leurs fournisseurs, et que je rendrais ainsi réel service à eux ainsi
qu'aux fournisseurs. J'allai trouver ceux-ci, leur fis valoir
les avantages qu'ils trouveraient à s'adresser, moyennant
des conditions que je fixerais, à une clientèle d'élite, déjà
constituée; j'allai trouver les éditeurs des livres désignés
par le jury, qui s'engagèrent à encarter dans les volumes
les prospectus de ces maisons dignes d'être recommand-
dées. Cette affaire qui, dis-je, réussit au-delà de toute
espérance et prit bientôt une ampleur que je n'avais osé
prévoir, me demanda quantité de démarches.

Quand je rentrai à la maison ce soir-là, les douleurs
avaient commencé...

DEUXIÈME PARTIE

J'ai écrit au courant de la plume; mais voici que je m'aperçois d'une très curieuse erreur de ma mémoire, ou du moins d'un déplacement dans le temps de cette conversation que je viens de rapporter, avec une grande exactitude sans doute, mais qui se situe, non point au moment de la naissance de Gustave, mais bien sept ans plus tard, lors d'une troisième grossesse d'Éveline, qui n'eut qu'une conclusion très malheureuse. Cette curieuse erreur est sans doute due à l'affaiblissement de ma mémoire, consé-quence de l'accident d'auto dont je fus victime en juillet 1914; mais également à des causes beaucoup plus profon-des. A la lueur du présent, le passé s'éclaire et cette fissure entre nous, dont je parlais, mon esprit aujourd'hui, comme malgré moi, la prolonge en arrière; elle existait déjà sans doute, mais je ne savais pas encore la voir. Il m'est du reste difficile de m'attacher au développement historique d'une âme, laquelle m'apparaît toujours une et conséquente avec elle-même; mon souvenir voudrait la garder telle qu'elle vivra dans l'éternité. Et de même que la repentance efface la faute et blanchit un passé pervers, l'erreur projette de l'ombre jusque sur un passé limpide, en attendant la rédemption du Seigneur; car je crois, je sais, qu'Éveline, dans ses derniers instants, a reconnu ses fautes, s'est réconciliée avec Dieu à temps pour communier encore, de sorte que je puis espérer, par la miséricorde de Dieu, la retrouver par-delà le tombeau telle que je l'aimais aux premiers jours de notre union, telle que je l'aime encore, car depuis longtemps j'ai pardonné tout ce qu'elle me fit souffrir.

Une autre réflexion à laquelle m'amène la constatation de cette erreur de dates est celle-ci : j'avais écrit qu'Éveline s'était plu à semer dans l'esprit de sa fille les germes de la libre pensée. A y bien réfléchir il me semble aujourd'hui que c'est l'esprit libertin de Geneviève, si enfant qu'elle fût encore, qui contamina l'âme de sa mère. Geneviève avait neuf ans alors, mais, si loin que je remonte en arrière, je ne la vois que révoltée. C'est elle qui, sans cesse et à propos de tout demandant des explications, accoutuma sa mère à en chercher, à en fournir, au lieu de répondre à ses « pourquoi ? » ainsi qu'il sied, ainsi que je faisais moi-même : « Parce que je te le dis. » J'ajoute aussitôt que Gustave, par contre, manifesta dès son plus jeune âge la soumission la plus respectueuse, acceptant tout ce que je lui disais, sans jamais mettre en doute mes paroles. Il était même plaisant d'entendre cet enfant, lorsque sa mère cherchait à éveiller ses doutes, à provoquer ses questions, lui répondre ingénument et avec assurance : « Papa l'a dit », tout comme j'opposais aux inquiètes investigations d'Éveline les instructions irréfutables des ministres du Très-Haut.

Si l'on s'étonne qu'un si jeune enfant (je parle à présent de Geneviève) puisse être de quelque influence sur sa mère — et vraiment l'on n'aurait trop su dire si Éveline, qui se reconnaissait en sa fille, ne se servait point de la personnalité insoumise de celle-ci pour s'encourager dans cette dangereuse voie, et si elle l'y poussait ou s'y laissait entraîner par elle, tant l'entente entre elles deux était étroite et comme préétablie — du moins l'influence de mes deux amis le docteur Marchant et le peintre Bourgweilsdorf était-elle indéniable. J'en ai déjà parlé, mais je crois bon d'y revenir. Car si j'ai mis en avant jusqu'à présent surtout la libre pensée d'Éveline, ce n'est pas cette forme que son insoumission prit d'abord, mais bien, au reflet de Bourgweilsdorf, une forme beaucoup plus perfide, car elle se dissimulait alors sous l'apparence d'une vertu : la sincérité. Bourgweilsdorf n'avait que ce mot à la bouche; il s'en servait comme d'une arme, défensive contre toute accusation d'inutile hardiesse et d'étrangeté, et offensive aussi bien contre la tradition et l'école. Du reste il n'était pas sans vénérer quelques grands maîtres ni sans se soumettre à leur enseignement, ainsi que je le faisais observer à Éveline et à lui-même. Mais il confondait volontiers avec l'hypocrisie, avec l'insincérité du moins, tout effort de perfectionnement et toute subordination de la sensation et de l'émotion à un idéal. Et je concède qu'il devait, en tant qu'artiste, à cette recherche assidue de la plus sincère expression, l'accent particulier

et neuf de sa peinture ; je l'accorde d'autant plus volontiers
que, cette peinture, je fus un des premiers à en reconnaître
la valeur. Mais par un glissement qui ne tarda pas à se
produire, Éveline commença d'introduire cette notion de
sincérité dans la morale, où je ne dis pas qu'elle n'ait que
faire, mais où elle peut devenir extrêmement dangereuse
sitôt qu'elle n'est plus balancée et combattue par une
notion supérieure du devoir. L'on eût dit bientôt qu'il
suffisait qu'un sentiment fût sincère, pour mériter d'être
approuvé ; comme si l'être naturel, que Notre-Seigneur
appelle si bien « le vieil homme », n'était pas précisément
celui même que nous devons combattre et supplanter.
C'est là ce que cessa d'admettre Éveline, qui se refusait à
comprendre que je pusse préférer en moi celui que je
voulais être et que je tâchais de devenir, à celui que
naturellement j'étais. Sans me taxer précisément d'hypocrisie, tout geste ou toute parole par lesquels je m'efforçais
d'entraîner vers le bien mon être intérieur lui devint
suspect. Et comme la vertu lui était, plus qu'à moi, naturelle, et qu'il n'y avait pas en elle de mauvais instincts à
refréner (sinon, peut-être, je l'ai dit, celui de la curiosité
d'esprit), je ne parvenais pas à la persuader du danger
qu'il peut y avoir à s'abandonner à soi-même, à s'accepter
simplement pour ce que l'on est, c'est-à-dire, somme toute,
pour pas grand-chose. J'eusse volontiers redit à Éveline
cette exhortation que je sais gré à l'abbé Bredel de m'avoir
fait lire dans une des *Lettres spirituelles* de Fénelon :
« Vous avez besoin qu'on retienne les saillies continuelles
de votre imagination trop vive : tout vous amuse, tout
vous dissipe, tout vous replonge dans le naturel ! » Et

pourtant, non de moi, mais de celui que je voulais être, c'est de celui-là qu'Éveline s'était éprise. Il semblait à présent qu'elle me reprochât tout à la fois de vouloir le devenir et de n'y pas être encore parfaitement parvenu.

J'ajoute que le culte de la sincérité entraîne notre être vers une sorte de pluralité fallacieuse, car dès que nous nous abandonnons aux instincts, c'est pour apprendre que l'âme qui ne se veut soumettre à aucune règle est forcément inconséquente et divisée. Le sentiment du devoir exige et obtient de nous l'unité sans laquelle notre âme ne peut prendre conscience d'elle-même et ne peut donc être sauvée. Dès lors peu importe que l'âme ne se sente pas chaque jour et à tout instant égale et pareille; elle flotte peut-être, mais autour d'un axe certain; l'idée du devoir la rassemble. C'est ce que je tâchais de faire comprendre à Éveline; en vain, hélas !

L'influence du docteur Marchant, quoique d'un ordre différent, rejoignait celle de Bourgweilsdorf d'une manière subtile que j'espère pouvoir éclairer. Je l'entendis citer un jour cette parole de je ne sais quel médecin célèbre: « Il y a des malades; il n'y a pas de maladies. » Et l'on comprend de reste ce que ce médecin et Marchant entendaient par là : que tout à la fois les maladies n'existent point à l'état abstrait, en dehors de l'homme, et que chaque homme en qui et par qui la maladie se fait connaître, modifie cette maladie et la réfracte, pour ainsi dire, selon son humeur et ses dispositions particulières. Mais, et c'est bien là que je vois le danger de l'instruction chez les femmes, Éveline poussant à l'absurde cette constatation, si simple sous son apparence paradoxale, assimilant

les idées aux maladies, n'admit bientôt plus de Vérité en
dehors de l'homme et considéra nos âmes non plus comme
des vases pour la recevoir, mais bien comme de petites
divinités susceptibles de la créer. En vain l'avertissais-je
de ce qu'il y a d'impie dans cette intronisation de sa
propre personne, lui rappelais-je le mot du démon : « *Ei
eritis sicut Dii.* » Hélas ! l'athéisme de Marchant l'encourageait ; Éveline s'autorisait de lui, qui, je l'ai dit, est dans
sa partie un homme de grande valeur, pour considérer
toute vérité en fonction de l'homme, et non l'homme en
fonction de Dieu.

Certain soir, pourtant, je crus que j'allais ressaisir
Éveline. La formation du jury que j'avais institué, comme
je l'ai précédemment rapporté, pour désigner les meilleurs
livres, m'avait permis d'entrer en relations avec un émi-
nent mathématicien-philosophe, que, par discrétion, je ne
nommerai point car il vit encore et je ne voudrais pas
blesser sa modestie. Je l'avais invité à dîner en compagnie
de quelques personnalités notoires, dont le docteur
Marchant. La conversation, après le repas, porta sur des
questions de relativisme, de subjectivisme, et je ne fus
pas peu intéressé d'entendre le mathématicien énoncer
ceci : que le monde des chiffres et des formes géométriques
n'existe pas, il est vrai, en dehors du cerveau qui le crée ;
mais que ce monde, une fois créé par le savant, lui échappe,
obéit à des lois qu'il n'est pas au pouvoir du savant de
modifier, de sorte que cet univers né de l'homme rejoint
un absolu dont l'homme lui-même dépend. Et ceci prouve
abondamment, ajoutai-je, lorsque, après que nos convives
nous eurent quittés, je me retrouvai seul avec Éveline,

que le cerveau de l'homme est créé par Dieu pour le
connaître, comme le cœur de l'homme est créé par Dieu
pour l'aimer.

Mais le cerveau d'Éveline est ainsi fait qu'elle sut tirer
argument de cette vérité même pour persévérer dans
l'erreur. Elle avait écouté X... avec l'attention la plus
vive et je pouvais lire sur son visage la profonde impression qu'elle en ressentait. Mais, le lendemain même,
elle me dit :

— Si ma raison m'est donnée par Dieu, elle n'a que
faire d'écouter d'autres lois que celles que Dieu lui
impose.

Un rationaliste n'eût pas raisonné autrement.

— Et dans ce cas, il n'est même plus besoin de parler
de Dieu, lui dis-je.

— Peut-être bien peut-on s'en passer, répondit-elle;
et, en effet, à partir de ce jour elle affecta de ne plus se
servir de ce mot, qui, pour elle, semblait avoir perdu tout
sens.

Pauvre Éveline ! Je ne cessai pourtant pas de l'aimer.
C'est à elle que je devais, que j'avais dû, tout ce dont
j'étais capable et d'amour et de poésie. Mais elle changeait,
au point que j'en venais à me demander ce que j'aimais
encore en elle. Son visage avait perdu son éclat; cette
chaleur du regard qui, dans les premiers temps, faisait
fondre mon cœur, je la cherchais en vain; sa voix avait
cessé d'être craintive; son maintien même était plus assuré.
Pourtant, c'était ma femme et je me redisais que ce que
j'aimais, ni le temps, ni elle-même ne le pourraient changer.

Et ceci me faisait comprendre que ces changements, qui peuvent être parfois de véritables dégradations, restent, après tout, étrangers à l'âme. C'est l'âme même d'Éveline dont mon âme s'était éprise, à laquelle elle s'était liée par des liens les plus indissolubles. Mais quelle torture affreuse de voir s'enfoncer dans la nuit de l'erreur, et de jour en jour davantage, celle dont on a fait sa compagne, sa femme pour l'éternité.

— Que veux-tu, mon ami, me disait-elle alors, avec ce qui lui restait encore de tendresse, nous ne nous dirigeons pas vers le même ciel.

Et je protestais qu'il ne pouvait pas plus y avoir deux ciels qu'il n'y avait deux Dieux, et que ce mirage vers lequel elle s'acheminait, qu'elle appelait *son ciel*, ne pouvait être que *mon enfer*, que l'enfer.

Tout ceci, est-il besoin de l'écrire, me rapprochait de Dieu d'autant plus, et m'aidait à comprendre l'incomparable qualité de cet amour de Dieu pour Dieu, qui, Lui du moins, ne peut changer. Me souvenant de la parole de l'Apocalypse : « Heureux ceux qui meurent dans le Seigneur », je disais à mon tour : « Heureux ceux qui s'aiment en le Seigneur », et me répétais ces mots devenus pour moi si nostalgiques, car ce bonheur, Éveline ne devait, hélas ! plus le connaître.

J'ai dit par quelle singulière confusion, je rattachais à la seconde grossesse d'Éveline certaine conversation qu'il me faut reporter sept ans plus tard, alors qu'il ne restait déjà plus à Éveline beaucoup de chemin à faire vers la révolte et l'impiété. Cette troisième grossesse mit ses jours en danger, et je pus espérer, durant quelques jours, que l'idée de la mort la ramènerait à des sentiments meilleurs. Notre vieil ami l'abbé Bredel, qui l'espérait également, s'empressait auprès d'elle. Éveline en était à son huitième mois d'attente lorsqu'une mauvaise grippe s'empara d'elle et bientôt ruina nos espoirs. Éveline mit au monde, avant terme, un pauvre corps sans vie. Dès le lendemain la fièvre puerpérale se déclara qui la maintint plus de huit jours entre la vie et la mort. Malgré 40 degrés de fièvre, elle gardait toute sa connaissance, et malgré la ferme confiance que gardait le docteur Marchant de la sauver, elle se savait en danger.

— La première condition de la guérison, c'est d'y croire, avait dit Marchant, qui, partant de là, s'ingéniait à lui cacher l'extrême gravité de son cas et l'entretenait dans une illusion qu'il estimait salutaire.

— Dans des cas de ce genre, combien de femmes s'en tirent ? lui avais-je demandé.

— Une sur dix, avait-il dit, ajoutant aussitôt : mais cette dixième-là, c'est Éveline, avec tant d'autorité et d'assurance que j'en pus être réconforté. Pourtant, j'avais tenu à ce que l'abbé Bredel fût averti. Éveline, en dépit de sa grandissante incroyance, avait gardé pour l'abbé Bredel des sentiments presques tendres et ne se débattait pas contre lui. Elle ne lui cachait pas le triste progrès de sa pensée, mais comme cette libre pensée n'entraînait chez elle, jusqu'alors du moins, aucun acte répréhensible, l'abbé Bredel ne mettait pas en doute qu'elle ne fût en état de s'amender et de reconnaître bientôt son erreur. L'instant était propice et, certain soir qu'Éveline se sentait

particulièrement faible et que tout laissait supposer sa
fin très prochaine, je fis venir l'abbé, l'entretins quelques
instants dans le salon, et m'apprêtais à l'introduire dans
la chambre de la malade avec les saintes huiles et le
viatique dont il avait eu soin de se munir, quand Marchant, sortant de la chambre, referma derrière lui la porte,
et, de ce ton autoritaire qu'il sait prendre, lui en refusa
l'entrée.

— Je viens de m'employer à relever sa confiance et
son courage, dit-il presque durement, n'allez pas défaire
mon travail. Si Éveline comprend que vous la croyez
perdue, je crains que ce n'en soit fait d'elle.

L'abbé Bredel était tout tremblant.

— Vous n'avez pas le droit de m'empêcher de sauver
cette âme, murmura-t-il.

— Pour la sauver, voulez-vous la tuer ? demanda
Marchant.

— L'abbé Bredel a l'habitude de ces conversations *in
extremis*, dis-je en manière de conciliation. Il saura ne
pas effrayer Éveline; il pourra lui proposer la communion
non pas comme à une mourante, mais...

Marchant m'interrompit :

— Voici combien de temps qu'elle n'a plus communié ?

Et comme l'abbé et moi nous baissions la tête sans oser
répondre :

— Vous voyez bien, reprit-il, qu'elle ne peut pas ne
pas voir là une précaution dernière.

Je pris la main de Marchant. Il était tout tremblant
lui aussi.

— Mon ami, lui dis-je avec le plus de douceur que je

pus, l'approche de la mort peut modifier beaucoup nos
pensées. Nous n'avons pas le droit de laisser ignorer à
Éveline la gravité de son état. L'idée qu'Éveline pourrait
mourir sans les secours de la religion m'est intolérable.
Sans trop le savoir elle-même, elle les attend peut-être,
les espère. Elle n'attend peut-être qu'un mot et que cette
frayeur dernière que vous voulez lui épargner, pour se
rapprocher de Dieu. Combien n'en avons-nous pas vus
que la peur de la mort...

Marchant chargea de tout le dédain possible le regard
qu'il me jeta; il ouvrit lui-même la porte de la chambre.

— C'est bien. Allez lui faire peur, dit-il en s'effaçant
devant l'abbé.

Éveline avait les yeux grands ouverts. En voyant entrer
l'abbé elle eut un fugitif sourire que je ne puis qualifier
que d'angélique.

— Ah ! vous voilà, dit-elle à demi-voix. Je pensais
bien que vous viendriez ce soir. Ses traits prirent soudain
une expression de gravité insolite lorsqu'elle ajouta :

— Et je vois que vous ne venez pas seul.

Puis elle demanda à la petite sœur qui la veillait de
nous laisser.

L'abbé s'approcha du lit, au pied duquel je m'étais
agenouillé, et demeura quelques instants sans rien dire,
puis, d'une voix solennelle et tendre à la fois :

— Mon enfant, Celui qui m'accompagne se tient depuis
longtemps près de vous. Il attend que vous Lui fassiez
accueil.

— Marchant cherche à me rassurer, dit Éveline; mais
je ne suis pas effrayée. Depuis deux jours déjà je me

sens prête. Robert, viens plus près de moi, mon ami.

Sans me relever, je m'approchai d'elle. Alors, posant sa main frêle sur mon front qu'elle caressa doucement :

— Mon ami, j'ai parfois eu des sentiments et des pensées qui purent te peiner; et encore tu ne les connais pas tous. Je voudrais que tu me les pardonnes, et si je dois à présent te quitter, je voudrais que...

Elle s'interrompit un instant, détourna de moi son front, puis, dans un grand effort, reprit à voix plus haute et très distincte.

— Je voudrais que tu ne te souviennes que de ton Éveline des premiers temps.

Comme sa main glissait le long de mes joues, elle put les sentir toutes mouillées de larmes. Elle-même ne pleurait pas.

— Mon enfant, dit alors l'abbé, n'éprouvez-vous pas le besoin de vous réconcilier avec Dieu également ?

Éveline tourna de nouveau vers nous son visage et avec une sorte de vivacité subite, s'écria :

— Oh ! avec Lui, j'ai fait la paix depuis longtemps.

— Mais Lui, mon enfant, reprit l'abbé, cette paix, Il ne vous l'accorde pas encore. Elle ne Lui suffit pas, et elle ne doit pas vous suffire. Le sacrement doit la conclure.

Et, se penchant vers elle :

— Voulez-vous que Robert nous laisse causer, vous et moi, seuls un instant ?

Alors Éveline :

— Pourquoi ? Je n'ai rien de particulier à vous dire. Rien que je veuille lui cacher.

— Je comprends que les fautes que vous avez à vous

reprocher ne sont pas des actes; mais de nos pensées également nous pouvons avoir à nous repentir. Reconnaissez-vous avoir péché contre Dieu dans vos pensées ?

— Non, dit-elle fermement. Ne me demandez pas de me repentir des pensées que j'ai pu avoir. Ce repentir ne serait pas sincère.

L'abbé Bredel attendit un peu :

— Du moins vous inclinez-vous devant Lui ? Vous sentez-vous prête à comparaître devant Lui en parfaite humilité d'esprit et de cœur ?

Elle ne répondit rien. L'abbé reprit :

— Mon enfant, la communion nous apporte souvent, devrait nous apporter toujours, une paix supraterrestre; cette paix dont notre âme a besoin, qu'elle ne peut obtenir d'elle-même et sans ce secours. Je vous apporte une paix « qui surpasse toute intelligence ». Voulez-vous l'accepter d'un cœur humble ?

Et comme Éveline se taisait toujours :

— Mon enfant, il n'est pas certain que Dieu veuille vous retirer déjà de ce monde. Soyez sans crainte. Cette paix qu'apporte la communion est si profonde que même notre corps infirme la ressent, de sorte que l'on a vu, que j'ai vu moi-même, à la suite de la communion, des guérisons inespérées. Mon enfant, je vous demande de permettre à Dieu d'accomplir en vous, s'Il y consent, ce miracle. Si vous croyez en Lui, Celui qui dit à l'agonisant : « Lève-toi et marche », celui qui ressuscita Lazare, peut vous guérir.

Les traits d'Éveline se creusèrent; elle ferma les yeux, et je crus que la fin approchait.

— Vous me fatiguez un peu, dit-elle comme plaintivement. Écoutez, cher ami; je voudrais vous satisfaire,
et je puis vous assurer qu'il n'y a pas de révolte en mon
cœur. Je vais me soumettre. Mais il ne me plaît pas de
tricher. Je ne crois pas à la vie éternelle. Ce sacrement
que vous m'apportez, si je l'accepte, c'est sans y croire.
C'est à vous de juger si, dans ce cas, je suis digne de le
recevoir.

L'abbé Bredel hésita un instant, puis :

— Vous souvenez-vous de ce que vous disiez, encore
tout enfant, à votre père ? Ces paroles, je vous les répète
à mon tour dans toute la confiance de mon âme : Dieu
vous sauvera malgré vous.

Éveline s'assoupit presque sitôt après avoir communié.
Sa main que je pris pendant son sommeil n'était plus
brûlante, et lorsque Marchant revint vers le milieu de la
nuit, il put constater une amélioration extraordinaire.

— Vous voyez bien, dit-il, que j'avais raison d'espérer,
se refusant à admettre, contre toute évidence, le bienfait
miraculeux des sacrements, de sorte que l'événement le
mieux fait pour le convaincre ne servit qu'à enfoncer
chacun de nous dans son propre sens. Éveline elle-même,
dont la convalescence fut très lente, sortit de cette épreuve
méconnaissant la grâce de Dieu et plus entêtée qu'aupa-
ravant, pareille à ceux que signale l'Écriture, qui ont des
yeux pour ne point voir, des oreilles pour ne pas entendre,
de sorte que j'en vins à regretter presque que Dieu ne
l'eût pas reprise à Lui lorsqu'elle s'était montrée le plus
soumise et que, à travers son incrédulité même, elle
L'avait pourtant accepté.

Je fis à ce sujet quelques réflexions particulièrement importantes et que je veux consigner ici :

La première, fruit d'une conversation que j'eus avec l'abbé Bredel le lendemain de ce soir mémorable, était alors mêlée d'une stupeur attristée : Eh quoi ! nous disions-nous l'un à l'autre, se peut-il que, devant la mort, l'impie tremble moins que le fidèle, alors qu'il aurait tant de raisons de s'effrayer davantage ? Le chrétien, sur le point de comparaître devant son Juge suprême, prend une conscience plus atroce de son indignité, et cette conscience tout à la fois aide à sa rédemption et le maintient dans une salutaire angoisse; tandis que cette inconscience de l'incroyant, tout en lui permettant de mourir dans un état de trompeuse sérénité, achève de le perdre; il se dérobe au Christ, se refuse à une rédemption qu'on lui offre et dont, hélas ! il ne sent pas l'urgent besoin, de sorte que c'est ce calme qu'il croit alors ressentir et cette tranquillité devant la mort qui lui assurent en quelque sorte la damnation, et qu'il n'en est jamais plus près que lorsqu'il s'en aperçoit le moins.

J'ajoute aussitôt qu'en employant ce mot terrible de damnation, je ne saurais songer à Éveline, qui, comme je l'ai dit, s'est, je le crois, réconciliée avec Dieu dans ses derniers instants et a pu mourir, je le veux espérer, en chrétienne; et qui, somme toute, avait accepté Dieu, même au moment de cette fausse alerte. Il n'en restait pas moins que l'abbé Bredel et moi nous nous demandâmes si nous n'aurions pas dû l'effrayer un peu davantage à ce moment, au lieu de la rassurer comme faisait Marchant, plus soucieux ici des intérêts du corps que de ceux de l'âme et ne comprenant pas que la perte de celle-ci pouvait être entraînée par le salut même du corps.

La seconde réflexion que je fis, concurremment avec l'abbé Bredel, concerne l'effet funeste de la communion non suffisamment souhaitée, non méritée pour ainsi dire (car qui de nous, pécheurs, mérite jamais ce don ineffable ?) par une âme qui, alors même que Dieu l'approche, ne fait, pour s'approcher de Dieu, aucun effort. Il semble alors que cette lumière, absorbée sans amour, l'obscurcisse. Certainement Éveline me parut, ensuite, précipitée plus avant dans les ténèbres. Lorsque je la revis à son retour d'Arcachon, où elle acheva de se rétablir, où je n'avais pu l'accompagner, car mes travaux me retenaient alors à Paris, je la sentis plus résistante, plus fermée que jamais à toute bonne influence, à tout conseil que j'essayais de lui donner. Je lisais au pli de son front, à cette double barre verticale qui commençait de se dessiner entre ses sourcils, une obstination grandissante, un refus qu'elle n'opposait plus seulement aux vérités saintes, mais à tout ce que je pouvais lui dire, à tout ce qui venait de moi. L'ironique scrutation de son regard communiquait aux plus vertueuses manifestations de ma part, je ne sais quoi de contraint, de délibéré, d'affecté. Ou plutôt ce regard opérait sur moi à la lumière d'un scalpel, détachant de moi cette action, cette parole ou ce geste, de sorte qu'ils parussent non plus tant nés vraiment de moi qu'adoptés. Loin de pouvoir prier avec elle et d'élever vers Dieu nos deux cœurs à la fois comme il eût été bon, j'en étais vite venu à ne plus oser prier devant elle, ou, si je persistais, dans l'espoir d'entraîner son âme à ma suite, ma prière, même informulée, perdait aussitôt tout élan et, pareille à la fumée d'un sacrifice non agréé, retombait misérablement sur moi-même. De même son regard, son sourire, lorsque je tendais la main pour une aumône, asséchait incontinent mon cœur, et ce geste, auquel mon cœur cessait de prendre part, devenait à cause d'elle comparable à celui du pharisien de l'Évangile, de sorte que mon cœur n'en éprouvait plus cette joie profonde où il trouve sa première récompense.

J'ai dit que la grandissante incrédulité d'Éveline m'ancrait d'autant plus avant dans mes convictions religieuses, dans ma foi. Mais ce que je me refuse à admettre c'est que, si imparfaite qu'ait pu être ma vertu, celle-ci ait pu détourner Éveline de la foi, ainsi que le laisse entendre son journal. Cette accusation affreuse, qui tend à rejeter sur moi la responsabilité de ses écarts de pensée, je la repousse. Un croyant maladroit est tout de même un croyant, et, lorsqu'il chanterait les louanges de Dieu d'une voix fausse, Dieu ne saurait lui en vouloir, et Son image dans l'esprit d'autrui ne mérite pas d'en être faussée.

Je ne voudrais pourtant point trop accuser Éveline; je crois en vérité que sa nature était foncièrement meilleure que la mienne; mais était-ce une raison pour considérer comme insincère tout mouvement de mon âme qui n'était peut-être pas spontané? Éveline était naturellement vertueuse; je m'efforçais vers la vertu. N'est-ce donc pas ce que chacun de nous doit faire? Avais-je tort de ne point m'accepter tel que j'étais, de me vouloir meilleur? Sans cette constante exigence, que vaut un homme? Chacun de nous, lorsqu'il s'abandonne à lui-même, n'est-

il pas profondément misérable ? Ce qu'Éveline méprisait
en moi, c'était cet effort vers le mieux qui seul n'était
pas méprisable. Sans doute elle s'était méprise d'abord,
mais qu'y pouvais-je ? Aux premiers temps, son amour
pour moi l'aveuglait sur mes défauts, sur mes manques ;
mais devait-elle ensuite m'en vouloir, si j'étais moins
intelligent, moins bon, moins vertueux, moins valeureux
que d'abord elle me voyait ? Plus infirme je me sentais,
et plus j'avais besoin de son amour. Il m'a toujours paru
que les « grands hommes », eux, n'avaient pas tant besoin
que nous d'être aimés. Et le besoin de ressembler à cet
être meilleur que moi, que d'abord elle avait cru que
j'étais, cette application, ce zèle ne méritaient-ils pas
surtout son amour ?

La nouvelle expérience que, depuis la mort d'Éveline,
j'en ai pu faire avec le conseil et l'aide de Dieu m'a prouvé
surabondamment de quel secours peut être ici l'amour
conjugal. Que n'eussé-je point fait de ma vie, un peu
mieux compris, soutenu, encouragé par ma première
femme ! Mais tout son soin semblait au contraire de me
ramener et rabaisser jusqu'à cet être naturel que je prétendais surpasser. Je l'ai dit : elle ne considérait en moi
que ce que Notre-Seigneur appelle en chacun de nous
« le vieil homme », et dont Il vient nous délivrer.

Pauvre Éveline, qui n'aspirait à aucun ciel ! comment
eût-elle aidé à atteindre celui que la religion nous permet
dès ici-bas d'entrevoir ? Comment pouvais-je espérer de
l'y retrouver un jour ? C'est cette considération qui, avec
l'aide de la Providence, m'amena à me remarier, un temps
décent après mon veuvage, Dieu voulant bien avoir

égard au grand besoin que j'éprouvais de m'assurer d'une compagne pour le peu de temps qu'il me reste à vivre sur terre, et aussi pour l'éternité, si pourtant Dieu, qui doit alors emplir nos cœurs, n'absorbe pas en Lui tout amour.

GENEVIÈVE

ou

LA CONFIDENCE INACHEVÉE

Peu de temps après la publication de L'École des Femmes, puis de Robert, j'ai reçu, en manuscrit, le début d'un récit en quelque sorte complémentaire, c'est-à-dire pouvant être considéré, s'ajoutant aux deux autres, comme le troisième volet d'un triptyque.

Après avoir longtemps attendu la suite, je me décide à donner ce début tel quel, avec, en manière d'introduction, la lettre qui l'accompagnait.

André GIDE.

Août 1931.

Monsieur,

Puis-je espérer que vous consentirez à couvrir de votre nom,
comme déjà vous avez fait pour le journal de ma mère, puis
pour la défense de mon père, le livre que je vous envoie?

Je crains que ce livre ne soit pas du tout de nature à vous
plaire. N'étant guère friande de littérature, je ne vous ai pas
beaucoup lu, je l'avoue; assez toutefois pour me convaincre
que les questions qui m'intéressent vous laissent indifférent; du
moins je n'en trouve pas trace dans vos livres. Les sujets que
vous y abordez échappent autant qu'il se peut à ce que vous
semblez considérer comme des « contingences » indignes de votre
attention, tandis que vous ne trouverez ici, exposés sans art,
que des problèmes d'ordre pratique. Votre esprit plane dans
l'absolu; je me débats dans le relatif. La question n'est point
pour moi, comme pour les héros que vous peignez et pour vous-
même, d'une façon vague et générale, que peut l'homme? mais
bien, d'une manière toute matérielle et précise: Qu'est-ce que,
de nos jours, une femme est en mesure et en droit d'espérer?

N'est-il pas naturel que ce « problème » paraisse, pour la femme encore jeune que je suis, de première importance ? Si important soit-il, ce n'est que de nos jours qu'il commence vraiment à se dresser. Oui, ce n'est que depuis la guerre, où tant de femmes ont fait preuve d'une valeur et d'une énergie dont les hommes ne les eussent point crues capables, que l'on commence à leur reconnaître, et qu'elles-mêmes commencent à revendiquer, leurs droits à des vertus qui ne soient pas simplement privatives, de dévouement, de soumission et de fidélité ; de dévouement à l'homme, de soumission à l'homme, de fidélité à l'homme ; car il semblait jusqu'à présent que toutes les vertus affirmatives dussent demeurer l'apanage de l'homme et que l'homme se les fût toutes réservées. Je crois que nul ne peut contester aujourd'hui que la situation de la femme a changé considérablement depuis la guerre. Et peut-être ne fallait-il pas moins que cette catastrophe effroyable pour permettre aux femmes de rendre manifestes des qualités qui semblaient jusqu'à ce jour exceptionnelles ; pour permettre à la valeur des femmes d'être prise en considération.

Le livre de ma mère s'adresse à une génération passée. Du temps de la jeunesse de ma mère, une femme pouvait souhaiter sa liberté ; à présent il ne s'agit plus de la souhaiter, mais de la prendre. Comment et à quelles fins ? c'est ce qui importe et que je vais tâcher de dire, du moins pour ce qui est de moi.

Je ne me pose pas en exemple ; mais il me semble que le simple récit que je veux faire de ma vie peut avertir ; je le donne comme une suite au journal de ma mère, comme une Nouvelle École des Femmes. *Et pour bien indiquer que ce n'est là qu'un exemple entre maints autres, qu'un exemple particulier, je l'intitulerai* Geneviève, *nom d'emprunt sous lequel je figure déjà dans le journal de ma mère.*

PREMIÈRE PARTIE

En 1913, comme je venais d'avoir quinze ans, ma mère me fit entrer au lycée, malgré la vive désapprobation de mon père; mais, de volonté faible en dépit de ses airs assurés, mon père cédait toujours, quitte à se payer de sa défaite en une menue monnaie de critiques continuelles. Cette éducation de lycée fut responsable, selon lui, de ce qu'il appela mes « écarts de pensée », puis, plus tard, de mes « écarts de conduite ».

Je tiens de ma mère un certain goût pour le travail, et une assiduité naturelle qu'elle encourageait en feignant de s'instruire à travers moi. Lorsque je rentrais du lycée, elle m'aidait à mes devoirs, apprenait avec moi mes leçons, et je lui rapportais tout ce que j'avais appris en classe, comme d'autres raconteraient ce qu'ils ont vu ou entendu dans une sortie en ville. C'est ce qui lui donna, je crois, l'illusion que je pusse avoir eu sur elle plus d'influence qu'elle n'en avait eu sur moi. Cette illusion — si c'en est

une — elle cherchait à me la donner à moi-même, et rien
ne servit plus à me mûrir, à entretenir mon zèle et une
certaine confiance en soi, qui lui manquait.

Je dois également à ma mère un ardent désir, un besoin
de me rendre utile, et si déjà ce désir existait naturellement
en moi, sommeillant, elle sut l'éveiller, l'aviver sans cesse.
Il était alimenté chez ma mère par un extraordinaire
amour pour les pauvres, les souffrants et tous ceux que
mon père appelait (que ma mère se refusait d'appeler)
« nos inférieurs ». J'ai d'autant plus à cœur de le dire que
ni le journal de ma mère, ni le plaidoyer de mon père,
n'en laisse rien connaître. Ma mère se dépensait et se
dévouait non seulement sans ostentation, mais même en
se cachant, comme de tout ce qui eût pu lui attirer quelques
louanges. Cette pudeur extrême et cette modestie (que je
n'ai pas héritées d'elle, il faut bien que je l'avoue) étaient
telles que l'on pouvait vivre près d'elle longtemps sans
se douter de ses vertus. Mon père avait, tout au contraire,
un aussi constant souci de se faire valoir que ma mère
de s'effacer. Il semblait qu'il attachât plus de prix à l'apparence de la vertu qu'à la vertu même. Je ne pense pas
qu'il fût précisément un hypocrite et qu'il ne cherchât
pas à devenir tel qu'il se montrait; mais chez lui le geste
ou la parole précédait toujours l'émotion ou la pensée,
de sorte qu'il restait toujours en retard et comme endetté
envers lui-même. Ma mère souffrait beaucoup de cela; et
je l'aimais trop pour ne pas détester mon père.

En classe, ma voisine de droite était, de toutes mes
camarades, celle qui attirait et retenait le plus mon regard.
De peau brune, ses cheveux noirs bouclés, presque crépus,

cachaient ses tempes et une partie de son front. On n'eût
pu dire qu'elle était précisément belle, mais son charme
étrange était pour moi beaucoup plus séduisant que la
beauté. Elle s'appelait Sara et insistait pour qu'on ne mît
pas d'*h* à son nom. Lorsque, un peu plus tard, je lus *Les
Orientales*, c'est elle que j'imaginais, « belle d'indolence »,
se balancer dans le hamac. Elle était bizarrement vêtue,
et l'échancrure de son corsage laissait voir une gorge
formée. Ses mains rarement propres, aux ongles rongés,
étaient extraordinairement fluettes.

— Qu'est-ce que vous avez à me reluquer comme ça ?
— me dit-elle brusquement le premier jour.

Je détournai les yeux en rougissant beaucoup et n'osai
lui dire que je la trouvais ravissante. Les autres élèves ne
semblaient pas de mon avis et, dans les conversations que
je surpris, on s'accordait à critiquer son teint de « bohé-
mienne ». Son air grave et le presque constant froncement
de ses sourcils, qui plissait légèrement son beau front,
semblaient indiquer une tension de volonté singulière, une
attention... j'aurais voulu savoir à quoi, car ce n'était
certes pas au cours. Lorsqu'il arrivait qu'on l'interrogeât,
on se rendait aussitôt compte qu'elle n'avait rien écouté ;
et si, dans ses moments de tension, elle paraissait plus
âgée qu'aucune de nous, encore qu'elle me dît être exactement de mon âge, de brusques élans de joie, des sortes
de transes de gaieté, la replongeaient aussitôt après dans
l'enfance.

Dès les premiers jours, je m'épris pour elle d'un sentiment confus que je n'avais jamais encore éprouvé pour
personne et qui me paraissait si neuf, si étrange, que je

doutais si c'était bien moi, Geneviève, qui l'éprouvais, et
si ne m'envahissait pas une personnalité étrangère qui me
dépossédait de ma volonté et de mon corps. Cependant
Sara semblait me remarquer à peine, et je ne sais de quelle
extravagance je me sentais capable pour attirer son attention. Je cherchais ce qui pouvait lui plaire; elle semblait
malheureusement insensible à tous les succès scolaires et
je me dépitais qu'elle parût si peu remarquer les miens.
Lorsque je lui parlais, elle me répondait à peine; ce que
je lui disais ne semblait jamais l'intéresser. Elle était
certes loin d'être sotte et son prestige, à mes yeux, était
tel que je ne pouvais croire qu'elle ne fût pas supérieure
dans quelque domaine; mais je ne pouvais découvrir en
quoi. Certain jour de concours de récitation, j'eus une
brusque révélation. Après que plusieurs élèves et moi-
même nous eûmes plus ou moins péniblement ressassé
les stances du *Cid*, le songe d'*Athalie* ou le récit de Théra-
mène, sans autre souci que de ne point trébucher et comme
si ces vers n'eussent été écrits qu'en vue d'exercer notre
mémoire, notre maîtresse de français appela Sara :

— Quittez votre place, venez devant la chaire et mon-
trez-nous comment on doit dire les vers.

Sara, sans gêne aucune, s'avança puis, face aux élèves,
commença de réciter la première scène de *Britannicus*. Sa
voix, plus pleine et plus grave que d'ordinaire, prenait
une sonorité que je ne lui connaissais pas encore. Ainsi
que les autres élèves j'avais appris ces vers par cœur;
notre maîtresse nous les avait commentés, en avait fait
valoir les mérites, mais je ne m'étais pas encore avisée
de leur beauté. Celle-ci m'apparut soudain à travers la

récitation de Sara; et un frisson quasi religieux coula le long de mon dos, me secoua tout entière tandis que les larmes emplissaient mes yeux. La maîtresse elle-même semblait émue.

— Mademoiselle Keller, — dit-elle enfin, après que la récitation fut finie, — nous vous remercions toutes. Avec les dons que vous avez, vous êtes inexcusable de ne pas travailler davantage.

Sara fit une courte révérence ironique, une sorte de pirouette, et rejoignit sa place auprès de moi.

J'étais toute tremblante d'une admiration, d'un enthousiasme que j'eusse voulu pouvoir lui exprimer, mais il ne me venait à l'esprit que des phrases que je craignais qu'elle ne trouvât ridicules. La classe était près de finir. Vite, je déchirai le bas d'une feuille de mon cahier; j'écrivis en tremblant sur ce bout de papier : « Je voudrais être votre amie » et glissai vers elle gauchement ce billet.

Je la vis froisser le papier; le rouler entre ses doigts. J'espérais un regard d'elle, un sourire, mais son visage restait impassible et plus impénétrable que jamais. Je sentis que je ne pourrais supporter son dédain et m'apprêtais à la haïr.

— Déchirez donc ça, — lui dis-je d'une voix contractée. Mais, soudain, elle redéplia le papier, passa sa main dessus pour l'aplanir, et comme ayant pris une résolution... A ce moment, j'entendis mon nom : la maîtresse m'interrogeait. Je dus me lever, je récitai de manière machinale un court poème de Victor Hugo qu'heureusement je savais fort bien. Dès que je fus rassise, Sara glissa dans ma main le billet au verso duquel elle avait écrit : « Venez chez nous

dimanche prochain, à trois heures. » Mon cœur se gonfla
de joie et, enhardie :

— Mais je ne sais pas où vous habitez !

Alors, elle :

— Passez-moi le papier.

Et tandis que, la classe finie, les élèves rassemblaient
leurs affaires et se levaient pour partir, elle écrivit au bas
du billet : « Sara Keller, 16, rue Campagne-Première. »

J'ajoutai prudemment :

— Je ne sais pas encore si je pourrai; il faut que je
demande à maman.

Elle ne sourit pas précisément, mais les coins de ses
lèvres se relevèrent. Ça pouvait être de la moquerie; aussi
ajoutai-je bien vite :

— Je crains que nous ne soyons déjà invitées.

Habitant dans un tout autre quartier et assez loin du
lycée, je devais me séparer de Sara dès la sortie; d'ordinaire je m'en allais seule et très vite. Ma mère, qui voulait
me marquer sa confiance, ne venait pas me chercher,
mais elle m'avait fait promettre de rentrer toujours directement et de ne m'attarder point à causer avec les autres
élèves. Ce jour-là, je courus durant la moitié du trajet,
tant j'étais pressée de lui faire part de la proposition de
Sara. Je n'étais pas du tout sûre que ma mère acceptât,
car, en dehors du lycée, elle ne me laissait que rarement
sortir seule. D'ordinaire je n'avais rien de caché pour ma
mère; pourtant je ne sais quelle pudeur m'avait jusqu'alors
retenue de lui parler de Sara. Je dus tout dire en une fois :
et la récitation de *Britannicus* et mon enthousiasme que je
ne cherchai pas à cacher, et même cette attirance singulière

que j'aurais été bien incapable de taire et qui se marquait malgré moi dans mon récit. Comme j'avais enfin demandé : « Est-ce que tu me permettras d'y aller ? » maman ne répondit pas aussitôt. Je savais qu'elle avait toujours peine à me refuser quelque chose :

— Je voudrais d'abord en savoir un peu plus sur ta nouvelle amie et sur ses parents. Lui as-tu demandé ce que faisait son père ?

J'avouai que je n'y avais pas songé, et promis de m'en informer. Deux jours nous séparaient encore du dimanche.

— Demain, je viendrai te chercher à la sortie, — ajouta ma mère; — tu tâcheras de me présenter cette enfant; je voudrais la connaître.

Ce samedi, j'observai Sara en me demandant anxieusement l'impression que maman pourrait avoir d'elle. Il me parut que sa mise était plus négligée qu'à l'ordinaire; en particulier sa coiffure était dans un grand désordre.

— Arrangez un peu vos cheveux, — lui dis-je enfin craintivement.

— Pourquoi ?

— Parce que maman va venir me chercher. Elle voudrait vous connaître.

— Oui; avant de savoir si elle doit vous laisser venir dimanche, n'est-ce pas ?

Je ne pus protester; pourtant je n'aurais pas voulu paraître trop sous la tutelle de ma mère.

— Peut-être, — dis-je. — Oh ! je voudrais tant que vous lui plaisiez ! Je me retins d'ajouter : « et qu'elle vous plaise aussi... », mais aussitôt je m'inquiétai de la robe et du chapeau qu'aurait mis ma mère.

— Ça ne m'amuse pas beaucoup, cet examen, — dit Sara.

Pourtant, à la sortie, elle ne s'échappa point, comme je le craignais. Maman était devant la porte. Je pense qu'elle-même était soucieuse de plaire à mon amie; jamais elle ne m'avait paru plus charmante.

— Geneviève m'a beaucoup parlé de vous, — dit-elle à Sara, avec une affabilité exquise. — J'aurais voulu vous entendre réciter ces vers de Racine. Ils sont si beaux... Mais je pense que vous ne les auriez pas si bien dits si vous ne les aimiez pas.

Manifestement elle cherchait ce qui pût inviter l'autre à parler. Sara était certainement beaucoup moins troublée que moi.

— Oh! oui, — dit-elle aussitôt; — mais j'aurais préféré réciter du Baudelaire.

Je n'avais encore rien lu de Baudelaire et craignais que maman ne le connût pas davantage; allait-elle le laisser paraître?

— Quoi, par exemple?

— Oh! de préférence *La Mort des Amants.*

Je sentis que je rougissais. Sûrement ce titre allait scandaliser ma mère. Je la regardai. Elle souriait :

— Mais ce n'est sans doute pas de la poésie pour lycée, — dit-elle. — Vous avez des frères et des sœurs?

— Un frère plus âgé qui fait son service militaire en Algérie; puis, comme allant au-devant d'une question de ma mère : — Mon père est peintre.

— Quoi! — s'écria maman, — vous seriez la fille d'Alfred Keller dont tout le monde admirait les toiles au Salon dernier ? Cela m'explique vos goûts d'artiste.

J'étais ravie d'apprendre que le père de Sara était célèbre; mais soudain le front de maman se rembrunit, et à ma consternation, elle ajouta :

— Je sais que vous avez invité Geneviève pour dimanche; malheureusement elle ne sera pas libre.

Et, comme Sara ripostait un peu sèchement :

— Je regrette.

— Ce sera pour une autre fois, — dit ma mère en lui tendant la main.

Et, sitôt que Sara nous eut quittées :

— Mais, tu ne m'avais pas dit... C'est une juive !

Ce mot ne signifiait presque rien pour moi. Je connaissais l'Histoire sainte, je savais ce que les juifs avaient été autrefois mais point du tout ce qu'ils pouvaient être aujourd'hui. Une imperceptible nuance dans le ton de sa voix m'avait heurté douloureusement le cœur.

— Une juive ? — m'écriai-je. — A quoi reconnaît-on cela ?

— Il m'a suffi de la voir. Elle est du reste très jolie. — Et, comme suivant à la fois deux idées : — Du reste il y a beaucoup de juives au lycée.

Alors je hasardai :

— Est-ce parce qu'elle est juive que tu ne me laisses pas aller chez elle ? Pourquoi lui as-tu dit que je n'étais pas libre ? Tu sais bien que ça n'est pas vrai.

— Mon enfant, je ne pouvais pas lui dire brutalement que nous refusions son invitation. Ce n'est pas sa faute si elle est juive et si son père est un artiste. Je ne voulais pas la peiner. D'ailleurs, — ajouta-t-elle en voyant mes yeux pleins de larmes, — les juifs ont beaucoup de qualités et certains d'entre eux sont très remarquables. Mais je préfère ne pas te laisser aller dans un milieu si différent du nôtre, avant d'avoir pris quelques renseignements.

— Oh ! maman, j'aurais tant voulu...

— Mon enfant, pas cette fois. N'insiste pas. Du reste, il est trop tard... — Puis, plus tendrement : — Voyons, Geneviève, tu sais bien que cela me fait de la peine de te peiner.

Oui, je le savais bien; mais ma mère, en me refusant, me paraissait céder à des raisons de convenances, et qui venaient moins d'elle-même que de notre entourage, de notre situation, de notre rang social; je sentais cela vaguement; et d'ordinaire elle m'enseignait à ne pas tenir compte de ces raisons-là. Pourtant il était tout naturel qu'elle ne me laissât pas fréquenter, si jeune et si malléable encore, des inconnus peut-être peu recommandables. Cela aussi je le sentais vaguement; et, au fond de moi, sans doute j'approuvais sa décision. Mais il me semblait qu'un amoncellement de conventions me séparait de ma nouvelle amie, et j'en éprouvais une tristesse affreuse.

— Du reste, — reprit ma mère après un long silence, — je ne t'empêche pas de voir ta camarade; peut-être même pourras-tu l'inviter à venir chez nous. Je te dirai cela plus tard.

Certainement elle se désolait d'avoir dû me causer ce chagrin; on eût dit qu'elle cherchait à s'en excuser presque et qu'elle eût voulu l'adoucir. Mais il devait s'y ajouter bientôt une peine encore plus vive. Lorsque je revis Sara, le lundi suivant :

— C'est dommage que votre mère ne vous ait pas laissée venir, — me dit-elle aussitôt. Puis, avec une sorte de cruauté, et comme s'amusant à mêler aux regrets que je pouvais avoir l'amer poison de la jalousie : — Gisèle était là. Papa nous a menées au Palais de Glace. Gisèle s'est foulé le pied. C'est pour ça qu'elle n'a pas pu venir en classe ce matin. Mais nous nous sommes royalement amusées.

Gisèle Parmentier était la meilleure élève de notre classe. Son père, mort depuis longtemps, avait été un remarquable professeur au Collège de France, avais-je entendu dire. Sa mère était Anglaise. Gisèle, son unique enfant, parlait l'anglais aussi bien que le français. Son intelligence était plutôt profonde que vive. Il ne semblait pas qu'elle eût à faire aucun effort pour se maintenir à la tête des autres élèves du lycée. Mais c'était plutôt encore son intimité avec Sara qui me l'avait fait remarquer. Toutes deux avaient ensemble de longs entretiens, et Sara ne causait guère qu'avec elle. Gisèle, par contre, aux récréations était souvent fort entourée et ne semblait faire nulle attention à moi, « la nouvelle ». Elle occupait une place à l'autre extrémité de la classe et je ne pouvais l'approcher que pendant les minutes de récréation où les élèves s'égaillaient dans une vaste cour plantée d'arbres. Certain jour, comme je m'approchais d'un groupe fort animé dont Gisèle occupait le centre, une élève brusquement, se tournant vers moi, me demanda mon avis sur je ne sais plus quel sujet épineux sur lequel il semblait qu'on ne pût se mettre d'accord, et, comme je ne répondais pas aussitôt, une autre élève s'était écriée :

— Vous voyez bien que mademoiselle est beaucoup trop bien élevée pour oser se prononcer. Elle craindrait de se compromettre.

Cette apostrophe m'apparut la plus injuste du monde. Je me sentis aussitôt capable de tout pour prouver à Gisèle que je méritais une estime qu'on semblait ne point vouloir m'accorder ; pour lui prouver, et me prouver à moi-même, que la peur de me compromettre ne m'arrêterait point, en dépit de ma réserve et de mon air « trop bien élevé ». Capable de... mais précisément : je ne savais de quoi. Je haussai les épaules et murmurai :

— Celles qui parlent le plus ne sont pas celles...

— Qu'est-ce qu'elle dit, qu'est-ce qu'elle dit ? — s'écrièrent confusément plusieurs.

— Ne sont pas toujours celles qui agissent.

Aussitôt dite, ma phrase me parut absurde. Heureusement elle ne fut pas relevée.

Quand Sara m'annonça que Gisèle s'était foulé le pied, je sentis une mauvaise joie. Quelques jours de répit, pensai-je. Gisèle et Sara étaient les deux seules élèves avec qui je souhaitais me lier. Dédaignée par l'une et contrainte par ma mère de refuser les avances de l'autre, je sentais péniblement ma solitude et m'enfonçais dans la mélancolie, lorsque ma mère, qui certainement remarquait ma tristesse, m'annonça qu'elle avait décidé mon père à écrire au père de Sara pour le convier avec elle à une de nos réunions du jeudi soir.

Ma mère n'avait pas de « jour » et même professait, pour toutes les obligations mondaines, une aversion que

mon père ne cessait de lui reprocher. Il la tenait pour
responsable de ses échecs; car, comme ceux qui n'ont
pas grande valeur personnelle, il se plaisait à croire que
tout s'obtient par intrigue ou par entregent. Je crois que
le plus clair de ce qu'il appelait pompeusement son « travail » consistait en courbettes à faire ou à recevoir, dont
il tenait compte très exact. Je comprends de reste que ma
mère ne se pliât pas à ces pratiques où, disait-elle, s'é-
mousse la conscience et certain sentiment de probité
morale et intellectuelle qu'elle souhaitait préserver en moi.
Aucune raison ne peut me retenir de juger mon père
encore plus sévèrement qu'elle ne fait elle-même dans
son journal. J'estime que rien ne peut fausser davantage
le caractère d'un enfant que de lui imposer un respect de
commande pour des parents, dès que ceux-ci ne sont pas
respectables. Ma mère, par contre, méritait ma vénération,
et mon amour pour elle était presque de la dévotion.
Quant à mon père, je cessai vite de le prendre au sérieux.
Sans doute les réflexions que voici n'étaient point encore
celles de l'enfant que j'étais alors. Mais déjà je m'impa-
tientais de l'entendre se contredire, soutenir comme
siennes des opinions que je savais empruntées, mettre en
avant des sentiments sublimes qu'il était incapable d'ali-
menter ou faire étalage de convictions intransigeantes qui
cachaient mal le caractère le plus pliable et le plus complai-
sant qui soit. Il appelait volontiers ses menus essouffle-
ments moraux : du « savoir-vivre », et excellait à mettre
ses déconvenues sur le compte de sa délicatesse, de sa
probité « excessive », de ses scrupules, avec une ingéniosité
et une ingénuité qui exaspéraient ma pauvre mère. Elle

en parle d'ailleurs beaucoup mieux que je ne saurais le faire et ce que j'en dis n'y ajoute rien.

Combien de lecteurs vont s'indigner de m'entendre m'exprimer aussi librement sur mon père ! Ce n'est pas pour ces lecteurs que j'écris, et je suis bien décidée à passer outre à toutes les considérations de prétendue convenance, de décence ou de pudeur. Mon récit n'a raison d'être que parfaitement franc; si cette franchise prend parfois couleur de cynisme, je crois que cela vient surtout de l'habitude invétérée qu'on a de regarder de travers et de n'aborder point, ou qu'avec un tas de cir- conlocutions rassurantes, certains sujets que je me propose de regarder en face, comme ils méritent de l'être.

Je crois (mais ce sont mes réflexions d'aujourd'hui dont je fais part), je crois de plus en plus fermement qu'il est bien peu de nos maux qui ne soient dus à l'ignorance et dont le remède puisse être cherché sans un préalable éclairement net et cru des questions. Les considérations de pudeur et de morale n'ont que faire ici; elles ne tendent qu'à fausser tous les problèmes. Et certains de ceux-ci nous ne les abordons encore qu'avec une paralysante réserve, comparable à cette retenue qui empêcha le progrès de la médecine et toute connaissance anatomique exacte, aussi longtemps que l'examen du corps humain put être considéré comme indécent et attentatoire. L'examen attentif de ce qui est doit précéder tout acheminement vers ce qui pourrait être, vers toutes réformes et amélio- rations tant sociales qu'individuelles. Ce n'est pas un roman que j'écris ici et je me laisserai volontiers entraîner à des considérations qui couperont mon récit, mais qui

m'importent, je l'avoue, beaucoup plus que ce récit lui-
même. L'expérience que je fis de la vie, je ne la raconte
que dans l'espoir qu'elle puisse être de quelque enseignement ou de quelque secours. Je ne retiendrai donc point
les commentaires, dût la « qualité artistique » de ces pages
en souffrir. J'ai déjà dit que je n'avais pas grand goût
pour la littérature. Il me semble même que certaine
perfection, que je me défends de souhaiter, ne saurait
être obtenue qu'aux dépens de la vérité. Celle-ci, dès qu'il
ne s'agit plus d'abstraction mais de vie, demeure complexe,
trouble, incertaine, et ne prête pas à l'épure... pour
laquelle je n'ai du reste aucun don. Peu m'importe si ce
que j'écris ici n'a qu'un intérêt passager. Je n'ai nullement l'intention, l'illusion, de fixer rien d'éternel, et si
ce qui m'angoissait hier, ce qui m'occupe aujourd'hui,
cesse bientôt d'être de quelque intérêt que ce soit, j'en
suis aise.

Nous voici bien loin, M. Gide, des considérations qui
dictent vos livres. Vous disiez, il m'en souvient : « J'écris
pour être relu » ; quant à moi, tout au contraire, j'écris
ceci pour aider celui ou celle qui me lit à passer outre.
Tout ce qui peut aider au progrès, tout ce qui peut aider
l'homme à s'élever un peu au-dessus de son état actuel,
doit être bientôt repoussé du pied comme un échelon
sur lequel on a d'abord pris appui.

Une fois par semaine mon père conviait à dîner certains
personnages dont il souhaitait conquérir le bon vouloir.
Ces soirs-là, j'allais dîner chez nos cousins Froberville. Le
lendemain, notre déjeuner bénéficiait des reliefs du festin

de la veille et des échos des conversations. Mon père
semblait alors plus pénétré que jamais de son importance.

En plus de ces réceptions, nous avions coutume d'ouvrir nos portes, chaque jeudi soir, à quelques fidèles amis
dont le docteur Marchant et sa femme qui, je m'en rendais
compte, étaient beaucoup plutôt les amis de ma mère
que de mon père. La question s'était posée (m'avait redit
ma mère) : Inviterait-on le père de Sara à l'un des dîners
cérémonieux ou à l'une de nos soirées intimes ? Le dîner
lui en imposerait davantage; mais on ne savait trop à qui
réunir ce nouveau venu... Car papa avait une terrible
peur que Keller ne « marquât mal ». Papa professait
volontiers une grande liberté d'esprit; par pure affectation
du reste, car il était d'autre part fort ancré dans des idées
de commande. Il disait, à qui voulait l'entendre, que le
talent excusait tout; mais sans talent lui-même, il n'excusait rien; et rien ne le gênait plus que ce qu'il appelait
le « manque de savoir-vivre », car il n'avait guère d'autre
savoir. De plus, sans être antisémite déclaré, il avait en
suspicion tous les juifs. Admettre Keller à une de nos
petites soirées intimes n'engageait à rien; et, somme
toute, cette invitation n'avait d'autre but que de nous
réunir, Sara et moi, malgré l'ennui non dissimulé de mon
père de voir sa fille se lier avec quelqu'un qui ne fût pas
« de notre monde ».

Mon père se félicita plus encore de sa décision, lorsqu'une réponse de Keller nous avertit qu'il « ne sortait
jamais sans sa femme ». Madame Keller accompagnerait
donc Sara.

Cette soirée dont je m'étais promis tant de joie fut pour

moi l'occasion d'une souffrance indicible. Il apparut même à mes yeux d'enfant, et dès l'entrée de nos nouveaux hôtes, que leur présence dans notre salon bourgeois était parfaitement déplacée. Je n'appris (et mes parents n'apprirent) que longtemps ensuite, que Keller n'était pas authentiquement marié et que la mère de Sara, de très basse origine (ainsi que lui-même d'ailleurs), avait été son modèle avant de devenir sa compagne. A entendre parler mon père, « épouser son modèle » semblait un comble d'abjection ; son mépris pourtant augmenta lorsqu'il apprit que Keller « ne l'avait même pas épousée ». De cela nous ne savions rien encore et sinon, déclarait mon père plus tard, « on ne les aurait naturellement pas invités ». J'appris aussi, par la suite, que le couple formait un ménage profondément uni ; mais, disait mon père plus tard, « cela ne change rien à l'affaire ». Madame Keller avait dû être très belle ; elle l'était encore, bien que fâcheusement empâtée. Sa mise trop voyante pour notre milieu terne, trop somptueuse, « extravagante », disait mon père le lendemain matin, fit valoir aussitôt la discrétion modeste de madame Marchant et de ma mère. Mais, par contraste, les robes sombres et montantes de celles-ci me parurent aussitôt désuètes, étriquées, et ennuyeusement « comme il faut ». Quant à moi-même, qui avais revêtu ce soir-là une toilette claire des plus modestes, je me sentis toute guindée auprès de Sara qu'enveloppait harmonieusement et comme négligemment une souple soie rouge sombre, dont le ton chaud faisait valoir l'éclat ambré de sa peau. Ce n'est pas que j'attachasse grande importance au costume, mais au contact de la grâce et de l'aisance de

Sara, et par l'effet d'une extrême sympathie qui me fit
voir avec ses yeux à elle notre intérieur, ce milieu dans
lequel j'avais vécu jusqu'alors laissa paraître son insigni-
fiance et sa conventionnelle banalité. Le lustre, les tentures,
les fauteuils, le mobilier, tout se désenchanta soudain,
s'embourgeoisa, se ternit. Ce n'était pas pourtant que
notre intérieur fût particulièrement déplaisant; ni mon
père même, ni ma mère n'avait ce qu'on nomme commu-
nément « mauvais goût », mais l'un et l'autre sacrifiaient
à l'usage; la décence même du style bourgeois qui les
contentait, combien les toilettes de madame Keller
et de Sara faisaient paraître cela médiocre et bêtement
timoré.

— Ce que c'est cossu, chez vous ! — me dit Sara; et
ce furent les premières paroles qu'elle m'adressa, d'un
ton indéfinissable où entrait un mélange d'étonnement
admiratif et de je ne sais quelle ironie, un peu méprisante,
me sembla-t-il, qui me fit aussitôt rougir.

Mon père, qui s'était renseigné, nous avait dit que
Keller vendait fort bien ses tableaux et fort cher. Mais,
lorsque je pénétrai peu de temps ensuite dans l'atelier
du père de mon amie, je n'y vis rien qui marquât précisément la fortune. Chez nous, au contraire, tout semblait
raconter indiscrètement le chiffre de nos revenus.

Que les Keller fissent mauvaise impression à mes
parents, c'est ce dont je ne pouvais douter; cela me
sautait aux yeux, si enfant que je fusse encore; mais
aussi le grand effort que faisaient mes parents pour n'en
rien laisser paraître. Chacun avait souci, ce soir-là, de
paraître parfaitement à son aise et vraiment je crois que

j'étais seule à souffrir de la disparate; c'était aussi sans
doute à cause de la sincérité de mes sentiments pour Sara.
Je l'avais aussitôt prise à part, tandis que la conversation
de nos parents prenait prétexte de quelques tableaux
accrochés aux murs. C'étaient, pour la plupart, des toiles
de notre ami Bourgweilsdorf que mon père avait ressorties
de ses armoires après la mort récente de celui-ci, car les
marchands et le public s'étaient alors brusquement avisés
de leur valeur. Papa, du reste, qui s'occupait alors d'une
revue d'art, avait beaucoup fait, — disait-il, — pour le
« lancer », et lui obtenir posthumément la gloire qui lui
fut refusée de son vivant.

— Vous savez, — me dit Sara, — papa fait semblant
de trouver cela bien; mais, au fond, il a horreur de cette
peinture.

— Et vous ? — demandai-je craintivement.

— Oh ! moi, la peinture ne m'intéresse pas. J'en vois
trop. Je n'aime que la musique et la poésie.

J'étais extrêmement désireuse de trouver « bien » les
parents de mon amie; mais combien, auprès de ma mère
et de madame Marchant, madame Keller me paraissait
vulgaire ! Elle riait trop haut, et à propos de tout, rejetant
la tête en arrière et pouffant derrière un grand éventail
déployé. Je fus amenée plus tard à la connaître pour une
excellente femme, mais assez sotte et d'une insondable
ignorance. Quant à Keller, je ne sais comment il pouvait
à la fois ressembler à sa fille et être aussi laid. Je ne me
souviens d'aucun des propos qu'il lançait avec une grande
assurance, mais bien de l'agacement très apparent qu'en
ressentait le docteur Marchant.

Lorsqu'on nous apporta des rafraîchissements, Marchant profita de la diversion pour demander à Sara si elle ne nous réciterait pas quelque chose.

— Geneviève nous a parlé de votre extraordinaire talent, — dit-il. — Je crois que nous sommes ici quelques-uns qui goûterions les vers dits par vous, beaucoup mieux que n'ont pu faire vos camarades de classe.

Sara ne se fit nullement prier. Mais, comme elle hésitait et demandait ce que nous souhaiterions entendre :

— Eh bien, — dit gentiment ma mère, — pourquoi ne pas réciter cette *Mort des Amants*, que vous m'avez dit l'autre jour que vous aimiez particulièrement ?

— Un des sommets de la poésie française, — déclara sentencieusement papa. — Voulez-vous le livre, mademoiselle ?...

Puis il ajouta que Baudelaire était son poète préféré et qu'il avait toujours *Les Fleurs du Mal* auprès de lui. Il tira aussitôt d'une petite bibliothèque tournante, sur le piano, un volume dont sans doute il avait souci de faire admirer la reliure car il devait bien penser que Sara réciterait par cœur. Elle s'appuya de dos contre le piano à queue, prit une expression comme douloureuse et souriante à la fois qui la rendit plus belle encore, et récita d'une voix égale, riche mais extraordinairement douce et voilée, ce poème admirable, que je ne connaissais pas. Je ne suis pas très sensible à la poésie, je l'avoue, et sans doute serais-je restée indifférente devant ces vers, si je les avais lus moi-même. Ainsi récités par Sara, ils pénétrèrent jusqu'à mon cœur. Les mots perdaient leur sens précis, que je ne cherchais qu'à peine à comprendre ; chacun d'eux se faisait musique, subtilement évocateur d'un paradis dormant; et j'eus la soudaine révélation d'un autre monde dont le monde extérieur ne serait que le pâle et morne reflet.

— Sara, — lui disais-je plus tard, — ce n'est pas dans ce monde poétique, si beau qu'il soit, que nous habitons et pouvons agir. Pourquoi nous en donner la nostalgie ?

— Mais il ne tient qu'à nous d'y vivre, — me répondait-elle.

J'appris, ce même soir, que Sara se destinait au théâtre. Je raconterai comment je la vis, par la suite, lentement se laisser habiter, posséder, par des personnalités d'emprunt, jusqu'à perdre tout caractère individuel. Je pense aujourd'hui qu'il n'est pas bon (j'allais dire : honnête) de déshabiter ainsi les misères de notre terre, comme certains mystiques font dans un rêve de vie future, et cet échappement au réel m'apparaît une sorte de désertion. Mais ce soir je ne cherchai pas à réagir; je m'abandonnais au charme de la voix de Sara, comme à une incantation.

Sara, sur la demande de mon père, récita encore *L'Invitation au Voyage* et *Le Jet d'Eau*. Je fus tout heureusement surprise d'entendre mon père formuler quelques appréciations sur Baudelaire qui m'émerveillèrent; opinions d'autrui qu'il faisait siennes, comme toujours.

— C'est déjà une actrice, cette petite. Les comédiens, c'est bon sur la scène. Je n'aime pas te voir fréquenter ce monde-là, — déclara mon père le lendemain.

Il n'osa pourtant me défendre d'accepter l'invitation des Keller, qui tinrent à nous rendre notre politesse.

— Voilà ce que c'est de les avoir introduits chez

nous, — dit-il. — Maintenant nous ne pouvons pas refuser.

Mon père, toujours soucieux de correction, estimait indécent de se soustraire à ce qu'il considérait comme des obligations mondaines. Mais, celles qui l'ennuyaient trop, il s'en déchargeait sur ma mère; de sorte qu'il ajouta :

— Vous irez seules toutes les deux. J'aurai un empêchement.

C'était tout ce que je pouvais souhaiter.

La réunion chez les Keller était nombreuse. Artistes et gens de lettres pour la plupart, il y eut, quand nous entrâmes dans l'atelier, une douzaine de présentations. L'atmosphère de la vaste pièce, bizarrement décorée, était pour moi on ne peut plus dépaysante; pour maman aussi, sans doute, car elle me dit le lendemain qu'elle s'y était sentie un peu « perdue » et qu'elle ne souhaitait décidément pas entrer en relations suivies avec les parents de mon amie. Leur « genre » ne lui plaisait pas. Il faut dire que, malgré sa grande liberté de pensée, ma mère restait extrêmement réservée.

— Pourtant, — ajouta-t-elle, — ton amie me paraît charmante et je ne voudrais pas t'empêcher de la voir. Elle est certainement intelligente et remarquablement douée. Mais ses dons me paraissent si différents des tiens que je m'étonnerais bien que vous puissiez longtemps vous entendre. Tu ne pourras la suivre où elle va et, si tu t'attaches à elle, cela sera pour toi, plus tard, une cause de tristesse. L'autre (comment l'appelles-tu ?)... me paraît beaucoup plus proche de tes goûts.

Cette autre c'était Gisèle Parmentier, que je m'étais si longtemps désolée de ne pouvoir approcher. J'ai dit qu'elle n'avait pas d'autre amie que Sara. Et je n'aurais su dire de laquelle des deux j'étais jalouse, également éprise de l'une et de l'autre, quoique d'une façon très différente. Il n'était point question avec Gisèle d'un attrait physique comme celui de Sara; mais de quelque chose de profond, d'indéfinissable. Non, ce que je jalousais, c'était leur amitié. Ce soir, pour la première fois près d'elles, j'étais gênée comme une intruse et ne trouvais rien à leur dire, encore que le cœur débordant. J'espérais entendre Sara réciter des vers; mais une jeune fille, à peine un peu plus âgée que nous, s'approcha du piano et commença de chanter en s'accompagnant elle-même. Sara nous entraîna, Gisèle et moi, dans une autre pièce, vide et éclairée, qu'une portière retombée séparait de l'atelier.

— Mes parents lui demandent de chanter, — nous dit-elle, — pour tâcher de lui décrocher des élèves. Elle gagne sa vie en donnant des leçons de piano et de chant. Mais je ne peux supporter ni sa voix ni sa façon de jouer. Papa non plus du reste; mais il est si bon... Et vous, — ajouta-t-elle en se tournant vers moi, — est-ce que vous êtes bonne ?

Il me parut imprudent de répondre : oui. Au surplus, je ne savais pas du tout si j'étais « bonne ». Heureusement qu'elle n'attendit pas ma réponse; mais, continuant :

— Gisèle, elle, s'efforce d'aimer tout le monde. Je dis que ça n'est plus de l'amour; c'est ce que Vedel (un de nos professeurs) appelle de la *philanthropie*.

— Non, je ne m'efforce pas, — protesta Gisèle. — Mais maman dit toujours...

— Oh ! madame Parmentier, — interrompit Sara, — c'est la bonté même. Chaque fois qu'on bêche quelqu'un devant elle, elle proteste et ne consent à voir que ce qui peut excuser ses défauts. Alors, qu'est-ce qu'elle dit ta mère ?

— Qu'il y a beaucoup plus de gens aimables qu'on ne croit, et qu'il suffit souvent, pour mieux aimer, de mieux comprendre et pour mieux comprendre, de mieux regarder.

Gisèle avait énoncé cet axiome sans pédanterie aucune, mais avec une gravité charmante. Il me sembla que si je ne parlais pas aussitôt, je serais condamnée au silence pour le reste de la soirée. Le son de ma voix, par avance, me faisait peur ; je la sentais toute contractée et c'est avec un grand effort que je lançai :

— Je crois que je ne suis pas naturellement bonne, mais que je suis capable d'aimer beaucoup.

Je voulais ajouter qu'il me semblait que l'amour devait être d'autant plus fort qu'il se faisait plus exclusif et ne se répandait pas sur tous. J'aurais voulu surtout qu'en parlant de n'aimer que quelques-uns, Gisèle et Sara pussent se sentir désignées. Mais comment formuler ma pensée d'une façon qui ne parût pas prétentieuse ? Cette déclaration, que je souhaitais faire et qui restait à m'étrangler, me fit rougir comme si je l'avais prononcée. Gisèle et Sara me regardèrent ; mais, comme plus un mot ne consentait à sortir de ma bouche, Sara reprit :

— Il y a beaucoup de façons d'aimer. Je crois que

je n'ai aucune vocation pour l'amour conjugal, par
exemple.

— Qu'est-ce que tu peux en savoir ? — dit Gisèle. —
Le jour où tu rencontreras...

Sara l'interrompit de nouveau :

— Oh ! je ne veux pas dire que je ne m'éprendrai
jamais de quelqu'un. Mais sacrifier pour lui mes goûts,
ma vie propre; ne plus m'occuper qu'à lui être agréable,
qu'à le servir...

— Quelle drôle d'idée tu te fais du mariage !

— Mais non; je t'assure que c'est presque toujours
comme ça. Une fois mariée, on n'a plus de temps pour
rien de ce qui vous intéressait d'abord. Il n'y en a plus
que pour le ménage; et pour les enfants, si l'on en a.
Regarde Émilie N... (c'était la sœur aînée d'une « ancienne »
de notre lycée) : elle ne vivait que pour la musique. Elle a
obtenu le Premier Prix au Conservatoire. Depuis qu'elle
est mariée, elle n'a plus rouvert son piano.

— Elle ne pouvait pourtant pas l'emporter dans son
voyage de noces.

— Non, non; elle me l'a dit; elle l'a dit à maman :
abandonné pour toujours... et qu'elle avait maintenant
bien trop à faire; et qu'elle ne tenait pas à se perfectionner
dans un art qui la séparait de son mari. Ce sont là ses
propres paroles.

— Elle n'avait qu'à épouser un musicien, — hasardai-je. Et cette fois c'est la niaiserie de ma réflexion qui
me fit de nouveau rougir.

— C'est encore plus prudent de n'épouser personne,
— répliqua Sara.

Et comme je reprenais que ça ne devait pas être bien gai de vivre seule, elle ajouta :

— On n'est pas forcément seule pour cela.

Je n'aurais sans doute pas remarqué ce propos, si Gisèle ne s'était aussitôt récriée, de sorte que Sara riposta :

— Avec ça que tu ne penses pas comme moi ! C'est seulement à cause de Geneviève que tu protestes.

Alors, sans trop comprendre ni savoir à quoi ce que j'allais dire m'engageait, et par immense désir de ne pas être tenue à l'écart, de témoigner ma sympathie, je m'écriai :

— Mais moi aussi, je pense comme Sara. Il ne faut pas avoir peur de moi; je sais mal m'exprimer parce que jusqu'à présent je n'ai pu causer avec personne; mais, si vous me connaissiez, vous comprendriez que je peux être votre amie.

J'avais sorti cela tout d'un trait, dans un immense effort. Tout étonnée et confuse de ce que je venais d'oser dire, le cœur battant, je saisis à la fois une main de Gisèle et l'épaule de Sara contre laquelle je pressai mon front comme pour cacher ma honte. Je sentis l'autre main de Gisèle caresser doucement mes cheveux. Quand je relevai le front, j'étais en larmes, mais parvins pourtant à sourire.

— Écoutez, — dit Sara; — nous pourrions dans ce cas former à nous trois une ligue; une ligue secrète; la ligue pour l'indépendance des femmes. Il faudrait commencer par se promettre de ne parler de ça à personne. Gisèle, jure tout de suite de ne rien raconter à ta mère.

— Mais qu'est-ce que tu voudrais que je lui dise ? Il n'y a rien à raconter du tout.

— Comment, « rien » ! Tu appelles ça « rien » de nous

associer toutes les trois et de nous promettre solennellement de rester fidèles à notre programme ?

— Mais, quel programme ?

— Nous nous occuperons plus tard de le rédiger.
Mais il faut d'abord jurer de ne parler de cela à personne.

Jusqu'à présent, je n'avais jamais eu de secrets pour ma
mère, mais je consentis que celui-ci fût le premier.

— Seulement, — dis-je, — avant de prêter serment,
je voudrais savoir à quoi l'on s'engage.

A présent je riais et commençais à me sentir parfaitement à mon aise. Sara reprit :

— Notre ligue s'appellera : l'IF; des initiales de l'Indépendance Féminine. Notre emblème sera un rameau d'if.
Comme nous sommes les fondatrices, personne ne pourra
faire partie de l'IF sans être accepté par nous trois. Les
nouvelles paieront une cotisation.

— Pour quoi faire ? — demanda Gisèle.

— Pour faire face... On ne peut pas savoir d'avance
à quoi. Dans les ligues, il y a toujours une trésorerie.
Par exemple, pour secourir les filles mères.

Gisèle partit d'un grand éclat de rire; et rien ne me
parut plus charmant que de voir s'ensoleiller soudain la
gravité de son visage.

— J'attendais ça ! — s'écria-t-elle. — Chez Sara, c'est
une idée fixe. Eh bien ! non, ma chère ! Je ne veux pas
m'engager à ne jamais me marier. Je prétends que, même
dans le mariage, une femme peut garder sa liberté; et
que d'ailleurs elle ne la garde pas forcément dans les
unions libres, où les enfants ne sont pas moins une charge
que dans les ménages légalisés.

Cette protestation m'éclaira un peu. Je n'aurais pas compris, sinon, quelle pouvait être l'idée fixe de Sara; mais je n'osais demander des explications, par crainte de paraître trop ignorante ou trop niaise. J'entendais pour la première fois l'expression : « fille mère »; elle n'avait aucun sens précis pour moi; et si elle me choquait un peu, je n'aurais su dire pourquoi. J'avais longtemps cru, candidement, que, pour avoir des enfants, le mariage était une condition *sine qua non*. Pourtant je n'ignorais point qu'ils sont le fruit naturel d'un rapport étroit des deux sexes. Ma mère avait jugé bon de m'en instruire et de me dire qu'en cela l'homme ne différait point des animaux. Mais, ces rapports intimes, je les associais si bien à l'état conjugal, que je ne pensais pas qu'ils fussent admissibles en dehors du mariage. Et pourtant je savais bien qu'il arrivait à des hommes et à des femmes de vivre ensemble sans être mariés. La simple réflexion eût pu m'avertir; mais précisément je n'y avais jamais réfléchi. Les quelques connaissances théoriques que je pouvais avoir restaient sans relations directes avec la vie.

La présence de Gisèle et de Sara paralysait ma pensée, je remettais l'examen de la question à plus tard. Ceci seulement m'apparaissait nettement : Sara ne voulait pas se marier, mais ne prétendait pas pour cela rester seule. Je m'abritai derrière la résistance de Gisèle.

— Pour m'engager, j'attendrai que tu te sois décidée, — dis-je.

Malgré moi, je l'avais tutoyée. J'espérais, en réponse, un « tu » de sa part, mais, se tournant vers son amie :

— Vois-tu, Sara : nous pouvons très bien faire une

ligue; mais on s'y engagerait seulement à ne rien faire contre sa conscience et par imitation.

— Ou pour se conformer aux usages, — reprit Sara.

— Ou...i, — dit Gisèle avec un peu d'hésitation. Puis, se tournant vers moi : — Je crois que nous pouvons promettre cela. Maintenant nous allons unir nos mains droites, comme pour le serment du Grütli et dire : je jure de rester fidèle à l'IF.

Ainsi fut fait dans un grand sérieux.

Puis il y eut un assez long silence, comme après la communion. Et, brusquement, Sara à Gisèle :

— A quoi penses-tu ?

— Je pense, — dit celle-ci, — que, en anglais, *If* veut dire : *si*..., et que notre engagement reste un peu conditionnel...

— Oh ! si tu commences déjà à te défiler...

A ce moment la mère de Sara souleva la portière qui séparait de l'atelier la pièce où nous étions :

— Mes enfants, je viens vous chercher. On a besoin de jeunes filles pour servir les rafraîchissements.

Je crois avoir rapporté fidèlement nos propos. Ils me paraissent aujourd'hui bien enfantins. Mais ils étaient alors pour moi de la plus haute importance, et, les jours qui suivirent, je ne pus cesser d'y penser.

Lorsqu'il fut temps de prendre congé de nos hôtes, maman s'approcha de Gisèle et, à ma surprise :

— J'ai appris que vous habitiez près d'ici, mais c'est sur notre route. Voulez-vous que nous vous reconduisions ? — lui dit-elle.

J'avais déjà parlé de Gisèle à maman et elle savait

combien cette proposition me ferait plaisir. Elle-même souhaitait de causer avec Gisèle, tout comme elle avait voulu connaître Sara.

— Votre mère vous laisse sortir seule, — dit maman quand nous fûmes dehors. — Elle a en vous une confiance que vous méritez, j'en suis sûre.

— J'ai si grand désir de la mériter que je n'ose jamais rien faire, — dit Gisèle en souriant. — Je crois que je la mériterais beaucoup moins si j'étais tenue plus sévèrement.

Gisèle s'exprimait d'une façon charmante, avec un parfait naturel et une grâce enjouée qui certainement devaient plaire à ma mère. Je le sentais et j'en étais ravie. Elle reprit :

— Mais vous non plus, madame, vous n'êtes pas sévère pour Geneviève. Vous ne l'accompagnez pas toujours. Elle vient seule au lycée. (Se pouvait-il qu'elle l'eût remarqué !)

— Je l'accompagne le plus possible..., dit ma mère, — non par absence de confiance mais parce que j'aime être avec elle. Elle me manquera beaucoup le jour où elle ne sera plus près de moi.

— C'est ce que je me dis aussi pour maman.

Le ton de Gisèle était redevenu très sérieux. Je compris que Gisèle aimait tendrement sa mère et soudain me reprochai de n'aimer pas assez la mienne. Nous marchâmes quelque temps sans rien dire. Je ne savais pas où habitait ma nouvelle amie et m'attristai en entendant maman dire soudain :

— Je crois que nous voici déjà devant votre porte. Mademoiselle Gisèle, serez-vous assez gentille pour dire à votre mère que j'aimerais bien la connaître ?

Dès que Gisèle nous eut laissées, je pressai maman contre moi.

— Qu'est-ce qui te prend, ma petite Geneviève ? Mais tu vas me faire tomber ! — dit-elle en m'embrassant aussi.

— Je crois que c'est seulement ce soir que je comprends combien tu es gentille.

Elle fit semblant de rire pour cacher son émotion. Puis, comme si de rien n'était :

— Après la fumée de cet atelier, ouf ! ça fait du bien de marcher un peu.

Je n'ai pas encore parlé de mon frère. Bien qu'il ne fût que d'un an plus jeune que moi, il ne tenait pas une grande place dans ma vie. Comme il était de santé délicate, on l'avait choyé plus que moi. Je ne crois pas que ce fût là ce qui m'indisposait contre lui; mais plutôt certaine façon qu'il avait de flatter mon père pour obtenir de lui ce qu'il voulait. Il y réussissait toujours. Jamais mon père n'avait levé la main sur lui; tandis que je n'oubliais pas qu'il m'avait une fois giflée. Il venait, comme Salomon, de nous conseiller à mon frère et à moi de prendre exemple sur la fourmi; je n'avais que neuf ans alors et j'avais osé lui répondre : « Mais, papa, tu nous dis souvent de ne pas ressembler aux animaux. »

Oh ! je n'en ai pas à la gifle (j'ai souvent usé de châtiments corporels avec mon fils), mais je sentais trop que papa me giflait parce qu'il ne trouvait rien d'autre à répondre, et pour me punir d'avoir remarqué son inconséquence. Quant à Gustave, l'inconséquence ne le gênait

guère; comme mon père et à son exemple il prenait peu
à peu l'habitude de modifier ses propos, ses goûts, ses
pensées, selon l'opportunité du moment. J'ai dit qu'il
flattait mon père; c'était en ayant l'air d'admirer tout ce
qui sortait de sa bouche; mais je crois que ce qu'il admirait
surtout c'était cette aisance avec laquelle mon père changeait d'opinion comme on change de vêtement.

Cela permettait à Gustave de le citer à tout propos, et
de s'abriter sans cesse derrière un « comme dit papa »,
dont il se servait d'autant plus qu'il savait que cela
m'exaspérait. Il cessa vite d'appliquer sa pensée à rien qui
ne lui parût utile et dont il ne pût tirer profit, — j'entends
le profit le plus pratique et le plus immédiat. Bien que
vivant ensemble, nous ne nous parlions guère; il ne
partageait aucun de mes goûts. Je croyais de sa part à de
l'indifférence. Je ne soupçonnais pas la sourde hostilité qui
grandissait lentement contre moi. Elle éclata brusquement
peu de temps après le moment où j'en suis venue de mon
histoire. Une exposition particulière des plus récentes
œuvres de Keller venait de s'ouvrir. Les journaux en
parlaient et louaient particulièrement la toile la plus
importante : L'Indolente, dont L'Illustration donnait la
reproduction : étendue sur un divan, une jeune femme nue
se regardait dans un miroir à main qui cachait sa face.

J'avais entendu Keller déclarer que le sujet d'un tableau
n'avait pour lui nulle importance; seule importait la
qualité de la peinture. On s'accordait à trouver celle-ci
« magnifique » et j'en étais heureuse à cause de Sara. J'ai
dit que mon père ne voyait pas mon amitié pour elle d'un
bon œil. Gustave trouva le moyen de flatter mon père

en desservant lâchement mon amie. Il savait que je la
voyais fréquemment, en dehors des heures de lycée, que
je m'attachais à elle de plus en plus ; enfin j'avais
eu l'imprudence de la louer devant lui, et de là son désir
de la rabaisser.

La scène eut lieu sitôt après le déjeuner. Celui-ci s'était
passé dans un silence gros de menaces. Mon père avait
cette habitude de lire le journal pendant le repas. Il
coupait d'ordinaire sa lecture de réflexions sur la politique,
comme pour atténuer ainsi ou excuser ce que cette lecture
avait de désobligeant pour ma mère. Chaque jour il
trouvait le journal à côté de son assiette; mais, ce matin,
il l'avait laissé sans l'ouvrir. Les sourcils froncés, le
regard dur, on sentait qu'il se taisait non parce qu'il
n'avait rien à dire mais parce qu'il ne voulait rien dire,
qu'il remettait à plus tard. Un orage chauffait, et c'était
moi qu'il menaçait; je n'en pouvais douter, car Gustave,
qui savait sans doute à quoi s'en tenir, me regardait d'un
air gouailleur. Nous prenions le café dans le bureau de
mon père. Je dis « nous » parce que le café de papa était
une cérémonie collective; mais il était seul à en prendre.
En quittant la salle à manger :

— Laisse-nous, — dit-il à Gustave, qui, je l'ai su
ensuite, se tint dans la pièce voisine, l'oreille collée à la
porte, pour ne rien perdre de la scène qu'il avait sournoi-
sement préparée.

Mon père savait fort bien qu'il n'avait aucune prise
sur moi; prévoyant ma résistance il en appelait à ma
mère pour en triompher et c'est à elle qu'il s'adressa;
éclatant soudain et frappant, non du poing ce qui eût été

vulgaire, mais du plat de la main, sur la table devant
laquelle il s'était assis :

— Je ne tolérerai pas plus longtemps que Geneviève
fréquente la petite Keller.

C'était dit sur un ton qui n'admettait pas de réplique;
mais maman, de sa voix la plus calme :

— Tu ne prétends pourtant pas la retirer du lycée ?

Papa ne se sentait pas de force à lutter contre nous
deux à la fois; je sentais maman de mon côté et cela me
donnait un grand courage; mais lui, comme pour se
l'associer :

— Nous la retirerons du lycée s'il le faut. En attendant,
je m'oppose formellement (c'était un de ses mots préférés)
à ce qu'elle voie cette petite en dehors des heures de
classe. — Et de nouveau, frappant du plat de la main,
mais d'une façon si malheureuse que sa cuillère à café
lui bondit au nez :

— C'est entendu, n'est-ce pas ?

Comme une fée maligne, la petite cuillère lui faisait
rater son effet. J'eus du mal à réprimer un fou rire. Papa
savait du reste que je ne le prenais plus au sérieux. Mais
ceci mit le comble à sa fureur.

— Ah ! ce n'est guère le moment de plaisanter, —
dit-il. — Je me précipitai pour ramasser la cuillère, puis,
me relevant et sans le regarder pour ne pas avoir l'air
de le braver et désireuse plutôt d'atténuer mon insolence.

— Je n'ai pas l'intention de t'obéir.

Il y eut un pénible silence. Je pus voir que maman
était très pâle et que les mains de papa tremblaient.

— Geneviève, — dit-il enfin, — prends garde. Tu vas

nous forcer à recourir à... — Mais ne sachant sans doute
à quoi recourir, il se reprit : « nous forcer à sévir. »

Puis, se tournant vers ma mère, qu'il voussoyait dans
les grandes occasions afin de faire plus solennel : « Lisez
ceci. »

Et papa sortit de la poche intérieure de son veston
une feuille de journal, ou plus exactement de revue, qu'il
déplia et lui tendit.

— Lisez à haute voix, je vous prie.

— C'est Gustave qui t'a remis ça ? — dit maman sans
prendre la feuille. Et elle ajouta plus bas : — Le misérable.

— C'est ça, — s'écria papa avec emportement; —
c'est lui que tu vas accuser maintenant.

Alors maman, toujours très calme en apparence, mais
si pâle que je m'attendais à la voir se trouver mal :

— D'ailleurs j'ai déjà lu ce sale article.

— Alors pourquoi ne nous en as-tu pas fait part ?

— Parce que je n'ai pas trouvé qu'il y eût à en tenir
compte.

— Mais enfin de quoi s'agit-il ? — demandais-je en
m'emparant de la feuille qui était tombée à terre.

Voici ce que j'y lus, sous la rubrique : *On raconte
que* :

« Mademoiselle Sara Keller, la propre fille du peintre
illustre, aurait posé pour ce « nu glorieux » que tout le
monde admire au Salon. Toutes nos félicitations au peintre
et au modèle. C'est un morceau des plus savoureux, et
nous remercions l'artiste de nous initier ainsi à l'intimité

de sa famille. Si la morale bourgeoise s'en effarouche, nous
redirons à Alfred Keller, avec Baudelaire :

Laisse du vieux Platon se froncer l'œil austère,
Pour peindre le secret de cette vierge en fleur.

L'art n'a jamais fait bon ménage avec la pudeur. »

Je haussai les épaules :

— Et c'est pour cela que tu veux m'empêcher de voir
Sara ?

Papa se tourna de nouveau vers ma mère :

— Est-il admissible, je vous le demande, que Geneviève continue à fréquenter une fille sans vergogne, qui
ne craint pas de s'exposer toute nue aux regards du public ?

— Si ce sale journaliste s'était tu, personne n'aurait pu
se douter que c'est elle, — dis-je; réflexion imprudente
qui me mit en mauvaise posture et permit à mon père
de riposter :

— Quand personne n'en aurait rien su, le fait n'en
aurait pas moins été là. Ce n'est pas l'opinion des autres,
c'est la chose elle-même qui m'importe, tu le sais bien.

Je savais exactement le contraire : mon père se souciait
beaucoup de l'opinion; il ne se souciait guère que d'elle;
mais je l'avais laissé prendre barre sur moi. Il continua :

— Mais, permets... alors, toi, tu le savais ?

— Non, je ne le savais pas. Mais, si je l'avais su, ça
n'aurait rien changé à mes sentiments pour Sara. Et, si je
l'avais su, j'aurais eu soin de ne rien t'en dire.

— Geneviève ! — dit sévèrement ma mère.

Papa feignit l'étonnement :

— Comment, tu ne prends pas son parti ?

— Je n'ai jamais approuvé son insolence.

— C'est pourtant chez toi toujours qu'elle prend appui contre moi. Mais la question n'est pas là... Alors, Geneviève, tu es bien décidée à ne pas m'obéir ?

— Parfaitement décidée.

Il sembla hésiter quelque temps, puis, comme il s'était ressaisi, et d'un ton vraiment supérieur :

— C'est bien. Je sais ce qui me reste à faire.

Il ne le savait pas du tout ; et, somme toute, il ne fit rien.

En disant à mon père que mes sentiments pour Sara n'auraient pas changé si j'avais su qu'elle avait posé nue devant son père, j'avais menti. C'est ce que je compris aussitôt que je me retrouvai seule. Le cœur gonflé d'une angoisse que je ne m'expliquais pas encore, je courus au salon pour y rechercher le numéro de *L'Illustration* qui venait de donner une reproduction du tableau de Keller. Ce tableau, je ne l'avais pas vu. Je ne le connaissais que par cette photographie. A présent que je savais que cette femme nue c'était Sara, je voulais la revoir ; je ne l'avais pas assez regardée. Le numéro de *L'Illustration* était sur la table mais, lorsque je l'ouvris, je constatai avec stupeur que la reproduction avait été enlevée, soigneusement découpée... par Gustave, pensai-je aussitôt. Je bondis à sa chambre. Sans doute il venait de s'installer devant sa table, mais il feignit d'être plongé dans le travail.

— Tu pouvais bien frapper avant d'entrer, — dit-il sans lever le nez de dessus un atlas.

Je m'efforçais au calme, mais l'indignation faisait trembler ma voix.

— C'est toi qui as pris la photo de *L'Illustration*?

— Quelle photo? — dit-il avec une naïveté jouée, et un demi-sourire des plus provocants.

— Ne fais pas l'innocent. Tu sais très bien ce que je veux dire. Qui est-ce qui t'a permis de découper cette photo?

Il me regarda d'un air de défi gouailleur.

— Je devais peut-être te demander la permission?

— Gustave, tu vas me rendre cette photo tout de suite.

— Cette photo! cette photo!... D'abord elle n'est pas à toi cette photo.

Je me précipitai sur lui, hors de moi. Avant qu'il ait eu le temps de se garer, j'avais soulevé l'atlas; l'image était dessous; je m'en emparai. Mais Gustave qui s'était dressé brusquement me l'arracha des mains et, la déchirant en petits morceaux:

— Voilà ce qu'elle mérite, mademoiselle Sara Keller, ta belle amie...

Nous restâmes un instant, les yeux dans les yeux, prêts à bondir l'un sur l'autre et pantelants. Gustave n'était pas plus fort que moi. Je crois que, dans une lutte, j'aurais eu le dessus. Mais ensuite?... Du reste il ne me laissa pas le temps de réfléchir; comme pris de peur, il courut à la porte et commença de crier: au secours.

J'entendis la porte du bureau de mon père s'ouvrir. Je n'eus que le temps de courir à ma chambre, m'y enfermai et me jetai sur mon lit en sanglotant. J'avais un violent mal de tête et m'efforçai de ne penser à rien. Ce

qui me faisait le plus souffrir c'était de ne pouvoir m'in-
surger sincèrement contre le jugement de mon père, de
me sentir, en dépit de moi, scandalisée à l'idée que Sara
avait pu s'exposer ainsi, se laisser voir sans vêtements,
et devant son père. Le titre même que le peintre donnait
au tableau *L'Indolente* ne désignait-il pas déjà, évoquant la
baigneuse des *Orientales*, cette Sara

« belle d'indolence »

à laquelle j'ai dit que mon amie me faisait penser.

J'étais à présent dans le noir; j'avais fermé mes rideaux,
fermé les yeux; mais des images du beau corps ambré
tourbillonnaient autour de moi.

J'entendis frapper discrètement à ma porte, puis la
voix douce de maman :

— Ma petite Geneviève, mon enfant... Ouvre-moi.

Elle me prit dans ses bras, posa sa main sur mon front,
me calma comme un enfant. Elle était venue, dit-elle,
craignant que je ne fusse souffrante. Elle ne me dit pas
un mot de la scène de tout à l'heure, mais eut soin de
m'apprendre que mon père était sorti avec Gustave. Ceci
se passait un jeudi; il n'y avait pas de lycée.

— Il fait très beau; nous devrions sortir aussi. Sais-tu...
si nous allions voir l'exposition de Keller ? Nous pourrions
y aller à pied; cela te ferait du bien de marcher.

Je l'embrassai de tout mon cœur, lavai mes yeux rougis,
m'apprêtai, puis chuchotai à son oreille :

— Sara disait qu'il n'y a pas meilleure que madame
Parmentier; mais c'est parce qu'elle ne te connaît pas.

Quand nous fûmes près d'entrer chez le marchand de
tableaux où les toiles de Keller se trouvaient exposées :

— Tout de même, — dit maman, en s'arrêtant brusquement, — j'aimerais être sûre que nous n'allons pas
rencontrer là les Keller... ni ton père.

Elle avait de ces petites craintes subites; il semblait
alors qu'une partie de son être cessât de donner assentiment à sa témérité naturelle; mais celle-ci reprenait vite
le dessus. Comme prenant une résolution et avec une sorte
de gaminerie enjouée :

— Et puis tant pis !... Nous verrons bien. Lançons-
nous.

Il n'y avait heureusement personne de connaissance
dans la galerie. Et heureusement aussi, un certain nombre
de paysages, de natures mortes et de portraits dispersait
l'attention des visiteurs et permettait de ne point rester
en arrêt devant le « nu magnifique ». Exposé en place
d'honneur, il attirait d'abord le regard. Maman le contem-
pla sans témoigner d'aucune gêne, et cela me rassurait.
Je l'entendis murmurer :

— C'est bien beau.

J'étais habituée aux nudités des musées et admirais
sans arrière-pensées *L'Odalisque*, *La Source*, *L'Olympia*, ou
Le Déjeuner sur l'herbe. Mais je ne pouvais cesser de penser
que cette jeune femme que je voyais là toute dévêtue,
c'était Sara, ma Sara, et, pour cela sans doute, cette toile
me paraissait d'une indécence extrême.

J'aurais voulu être seule dans la salle; les regards des
autres visiteurs me gênaient; il me semblait, dès que je
contemplais la grande toile, qu'ils m'observaient. Pourtant
j'étais attirée malgré ma souffrance et ma gêne par l'extraordinaire beauté de cette « indolente » qui m'emplissait

d'un trouble étrange et tel que jusqu'alors je n'en avais jamais ressenti.

Quelqu'un s'était approché sans bruit derrière moi, et tout à coup je sentis se poser sur mes yeux deux mains fraîches. Je me retournai. C'était Gisèle.

— Comme c'est gai de se retrouver ici ! — s'écria-t-elle. Elle aperçut ma mère.

— J'ai fait votre commission à maman qui m'a dit qu'elle aussi serait heureuse de vous connaître. Justement elle m'accompagne. Seulement je ne sais pas du tout présenter. Puis, prenant sa mère par le bras et l'amenant près de nous, avec gaucherie :

— Maman... Madame X..., la mère de ma nouvelle amie ; c'est vrai, tu ne connais pas encore Geneviève.... Eh bien ! c'est elle.

La mère de Gisèle était charmante et je sentis aussitôt qu'elle plaisait à ma mère. Elle parlait fort bien le français, mais avec un accent très prononcé, qui du reste n'était pas sans charme et semblait ajouter à sa distinction naturelle. Nous étions devant le grand tableau.

— Il faut reconnaître que monsieur Keller a bien du talent, — dit maman après échange de quelques banales politesses.

— Et lui du moins ne craint pas de choisir de beaux modèles. Les peintres, de nos jours, semblent si souvent avoir peur de la beauté.

Je me demandais avec beaucoup d'inquiétude si madame Parmentier était au courant du scandale. Mais le ton de sa voix me rassura. Il ne permettait de soupçonner dans ses propos ni ironie ni sous-entendus. Quant à reconnaître

Sara, non cela n'était pas possible. Maman me paraissait aussi rassurée, car elle avait certainement partagé mon inquiétude.

— Et peur aussi de faire un tableau qui représente vraiment quelque chose, — dit-elle. — Il semble que les peintres d'aujourd'hui cherchent surtout à nous égarer.

Je n'écoutais plus nos parents ; tandis qu'ils continuaient une conversation si heureusement commencée, j'entraînai Gisèle un peu à l'écart.

Que savait-elle ? D'une voix tremblante, et si troublée que je la voussoyai de nouveau, je demandai confusément :

— Vous saviez que Sara... — Mais elle ne me laissa pas achever :

— J'ai même été la voir poser, — dit-elle, comme si c'eût été la chose du monde la plus naturelle.

Cette petite phrase entra comme un coup de couteau dans mon cœur. Il y avait donc entre mes deux meilleures, mes deux seules amies, une intimité que je ne soupçonnais pas. Pourquoi Sara me tenait-elle à l'écart ? Oh ! sans doute j'aurais été gênée de la voir nue. Mais elle n'avait pas à tenir compte d'une pudeur que j'étais prête à renier moi-même. Et, gênée, je l'étais bien davantage encore à l'idée qu'elle s'était montrée nue à Gisèle. Mais ce n'était plus ici de la pudeur ; non, c'était de la jalousie.

— Pas un mot à maman. Elle ne se doute de rien, — ajouta Gisèle. Et comme je lui disais qu'un méchant article avait mis ma mère au courant :

— J'espère au moins qu'elle ne va pas en parler !

Je la rassurai vite.

Au sortir de l'exposition, madame Parmentier eut la

bonne idée de nous inviter à prendre le thé dans une
pâtisserie voisine. Ma mère et elle semblaient fort bien
s'entendre et n'arrêtaient pas de parler; mais Gisèle et
moi demeurions silencieuses. Au moment de nous quitter
je voulus rendre à madame Parmentier le catalogue de
l'exposition qu'elle m'avait prêté; mais elle refusa de le
reprendre :

— Non, Geneviève, conservez-le en souvenir de cette
agréable journée.

J'étais heureuse de le garder, à cause de la très bonne
reproduction du tableau qui s'y trouvait, et, sitôt de
retour à la maison, je m'enfermai dans ma chambre pour
la contempler à loisir. Mon imagination faisait effort pour
revêtir ce beau corps souple de la robe que Sara portait
d'ordinaire en classe; cette robe de tous les jours dans
laquelle je la revis le lendemain et dont il me fut beaucoup
plus facile de l'imaginer dépouillée. Oui, mon regard,
malgré moi, la dévêtait et je l'imaginais en « Indolente ».
Une angoisse inconnue me décomposait, que je ne savais
pas être du désir parce que je ne pensais pas que l'on
pût éprouver du désir sinon pour un être de l'autre sexe;
et, par instants, sur le pupitre devant nous où je voyais
la main de Sara posée, ma main s'approchait de la sienne,
involontairement car j'avais perdu tout empire sur moi,
puis se retirait brusquement si Sara remarquait mon
avance; et toute cette matinée du vendredi, je restai sans
lui dire un seul mot, sans rien dire non plus à Gisèle que
je vis, au sortir du lycée, s'éloigner en compagnie de Sara,
avec un déchirement de cœur et en proie à une abominable
tristesse : maman ne m'avait-elle pas dit, la veille au soir,

que je devais cesser de fréquenter Sara en dehors de nos heures de classe ?

Oui, ce jeudi soir, peu de temps après notre retour de l'exposition, maman était venue me retrouver dans ma chambre.

— Ma petite Geneviève, mon enfant chérie, — commençait-elle de sa voix la plus tendre, qui me faisait fondre le cœur et me laissait sans résistance, — j'ai beaucoup réfléchi à ce que je vais te dire; il m'en coûte beaucoup de devoir te peiner...

Elle hésita quelques instants, mais déjà je savais ce qui allait suivre et je commençai de murmurer : « Je ne peux pas. Je ne peux pas. » Elle reprit :

— Je ne voudrais pas que tu te méprennes. C'est pour ton bien que je dois te demander cela. Ton amitié pour Sara m'inquiète. Je crains qu'elle ne te réserve pour plus tard beaucoup de souffrances et qu'elle ne t'entraîne plus loin que tu ne voudrais aller.

Elle s'était assise et m'avait prise sur ses genoux, comme autrefois. La tête sur son épaule, à présent, je sanglotais :

— Oh ! maman, tu ne comprends pas. Tu ne peux pas comprendre.

Mais elle ne se méprenait assurément pas sur la violence de ma passion; et c'est là même ce qui l'inquiétait :

— Ma petite Geneviève, je crois que je ne te comprends que trop bien, et peut-être mieux que tu ne te comprends toi-même. C'est bien pour cela qu'il me faut t'avertir. Je crains que tu ne t'engages sur un chemin dangereux, que plus tard il te serait beaucoup plus difficile que maintenant d'abandonner.

Certainement elle n'osait s'exprimer complètement et je devais comprendre sa pensée entre ses paroles. Alors, ne trouvant pas d'autre argument, je lui sortis une phrase absurde et que tout aussitôt je regrettai :

— Mais maman, si je cesse de la voir, j'aurai l'air d'obéir à papa.

— Oh ! Geneviève, — dit-elle, — cette vilaine pensée n'est pas digne de toi. Je suis sûre que déjà tu en as honte.

— Et puis... Et puis, — repris-je en sanglotant, — comment veux-tu que je fasse ? Tu sais que je la vois chaque jour au lycée, elle est assise auprès de moi... Qu'est-ce que tu veux que je lui dise ?...

— Je puis demander à la directrice de te faire changer de place.

— Oh ! non, maman, je t'en supplie, ne fais pas cela ; que je puisse au moins la voir.

— Mais c'est cela qui te fait du mal, ma pauvre petite. Ah ! je voudrais tellement t'aider, contre toi-même...

Ce que fut cette matinée du lendemain, je l'ai dit. Je ne pus prêter au cours aucune attention. Lorsque je rentrai pour déjeuner, j'étais dans un tel état d'agitation que je vis bien que maman s'en alarmait. Quant à mon père il avait trouvé le moyen de me punir : c'était de ne plus avoir l'air de s'apercevoir de ma présence ; mais que pouvais-je souhaiter de mieux ? Après le repas maman vint me retrouver dans ma chambre où je m'étais retirée.

— Es-tu malade, ma pauvre Geneviève ? Tu es toute tremblante et tu n'as rien pu manger...

Malade, mon cœur l'était certainement. Pourtant je rassurai ma mère mais la suppliai de ne plus me faire

retourner au lycée. Continuer à voir Sara et lui battre
froid, alors que tout mon être s'élançait vers elle, c'était
vraiment au-dessus de mes forces. Le péril devait paraître
bien grand à ma mère, car elle accepta de me garder
près d'elle. Mon père eut un triomphe facile. Il avait
toujours désapprouvé le lycée. A l'entendre, les femmes
n'avaient pas tant besoin d'instruction que de bonnes
manières; et il ajouta que, du reste, c'était ce que pensaient,
avec Molière, tous les gens sensés. Ce n'était point là
mon avis, ni celui de ma mère, fort heureusement. J'avais
grand appétit de savoir. Tout ce qu'on m'enseignait au
lycée m'intéressait beaucoup; et ne serait-ce pas mon
instruction, pensais-je déjà confusément, qui, plus tard,
permettrait mon indépendance ? Le baccalauréat n'était
que pour l'an prochain; je comptais bien m'y présenter
et ne pas m'arrêter là. Il fut convenu que je quitterais
le lycée pour des raisons de santé. Devrais-je cesser de
voir Gisèle ? Madame Parmentier avait beaucoup plu à
ma mère; Gisèle aussi du reste. Ma mère estima qu'on
leur devait une explication de mon absence. Le gênant,
c'est que Gisèle était l'amie de Sara. Je vécus quelques
jours dans un grand désarroi. J'acceptais de me soumettre
aux décisions de ma mère. Je la sentais en opposition
constante avec mon père et ma résistance à l'autorité pa-
ternelle se fortifiait de ma soumission filiale envers elle.
Mais l'amitié n'avait-elle pas aussi ses devoirs, même sans
le serment solennel prononcé lors de la constitution de
l'IF ? Et qu'allaient penser de moi Gisèle et Sara ? Quelle
estime garderais-je de moi-même, si je les laissais croire
que je les rayais soudain de mon cœur ? Je suppliai maman

de me laisser parler à Gisèle. Elle-même irait voir madame Parmentier qui me ménagerait un entretien secret avec sa fille. Ce que maman put dire à madame Parmentier, je ne sais ; mais, quand elle revint de sa visite, un air joyeux et malicieux mettait une fossette à chacune de ses joues.

— Sais-tu ce que m'a proposé madame Parmentier ? — me dit-elle aussitôt. — De te donner chaque jour une leçon d'anglais. Tu irais chez elle aux heures de lycée ; car elle pense comme moi qu'il vaut mieux que Gisèle et toi, à cause de Sara, ne vous rencontriez pas trop souvent.

— Alors, tu lui as parlé de Sara ? Tu lui as dit ?...

— Ma petite Geneviève, je n'ai rien eu à lui apprendre. Gisèle avait tout raconté à sa mère, le lendemain de notre visite à l'exposition.

— Elle m'avait pourtant bien recommandé de ne rien lui en dire.

— Eh bien, tu vois que la confiance en sa mère a été la plus forte, — dit maman. Puis, elle ajouta un peu naïvement : — Il est vrai que madame Parmentier venait de prendre connaissance du vilain article.

— Mais madame Parmentier, elle, n'a pas défendu à Gisèle de voir Sara.

— En effet. Cela montre que nous n'avons pas tout à fait les mêmes idées sur ce point. Et puis elle sait que Gisèle est plus raisonnable que toi.

— Ou qu'elle aime Sara moins que moi.

— Moins passionnément que toi ; oui, sans doute.

Si je me suis attardée à cette première passion de ma

jeunesse, c'est en raison du confus éveil de mes sens.
Sitôt après ce que j'en ai dit, je tombai malade. La scar-
latine où, comme dirait Freud, se réfugiait le désarroi de
tout mon être, secourut à la fois ma mère et moi-même.
Ma mère me dit plus tard que, durant mon délire des
premiers jours (car j'avais une très forte fièvre), l'image
de Sara me hantait. Mais, quand je commençai de me
remettre, mes idées avaient pris un autre cours.

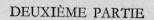

DEUXIÈME PARTIE

Madame Parmentier était beaucoup plus instruite que ma mère, qui n'avait commencé à lire avec méthode et soin qu'assez tard. Les leçons qu'elle me donna différaient beaucoup de celles du lycée et étaient surtout occupées par la conversation et la lecture. Dans la grande bibliothèque où elle me recevait, les auteurs anglais voisinaient avec les français et les italiens, car elle parlait également bien ces trois langues. Maman m'accompagna d'abord; mais dès la troisième leçon nous laissa, madame Parmentier lui ayant avoué que, seule avec moi, elle se sentirait mieux à l'aise. Le plus souvent elle me faisait lire et s'occupait alors à corriger mon mauvais accent. Je préférais l'entendre lire, encore que souvent je ne la comprisse pas très bien; mais elle reprenait alors avec une patience infinie. Le son de sa voix me ravissait presque à l'égal de celle de Sara. Les poètes avaient sa préférence et elle les prétendait particulièrement susceptibles de m'apprendre

à scander convenablement mes phrases. Mais je ne lui
cachai pas longtemps mon peu de goût pour le rêve et
la poésie. Alors nous commençâmes à discuter.

— Les fleurs, il est vrai, ne nourrissent point l'homme,
— disait-elle, — mais elles font la joie de la vie. Quand
vous aurez fait un jardin potager des plus beaux et des
plus odorants parterres, vous m'aurez sans doute donné
à manger, mais enlevé du même coup le goût de vivre.

Et, comme je ripostais que, non plus que de fleurs mon
corps, mon esprit ne se pouvait nourrir de comparaisons :

— Oh ! si maintenant vous n'aimez même plus les
images ! — reprenait-elle en souriant plaintivement.

Ainsi se plaisait-elle dans un monde imaginaire qui,
soutenait-elle, existait dès l'instant qu'elle commençait d'y
croire. De même croyait-elle à la vie éternelle et les
compensations qu'elle en espérait l'aidaient-elles à prendre
son parti des misères et des imperfections de cette terre.

A cette époque déjà, je m'attachais moins volontiers
aux fictions qu'aux réalités et les romans ne m'intéressaient
point tant par la beauté de leurs peintures que par les
renseignements qu'ils peuvent nous donner sur la vie.
C'est ce qui explique qu'en écrivant ce récit, je ne tienne
guère compte que de ce qui pourra peut-être, et si peu
que ce soit, éclairer ou instruire. Je n'aime pas assez les
divertissements pour chercher moi-même à divertir. C'est
plutôt *avertir*, que je voudrais. Je crois, monsieur Gide,
que vous aussi vous serviez, comme je fais ici, de ce mot.
Permettez que je vous l'emprunte. Oui, je me tiendrai
pour satisfaite si quelque jeune femme qui me lira trouve
dans ce que j'écris ici un *avertissement* et si ce livre la met

en garde contre certaines illusions dont j'eus à souffrir
et qui risquèrent de gâcher ma vie.

« Étranger aux raffinements de l'esprit, et insoucieux
de toute métaphysique. » Je lisais hier ces mots dans la
belle étude de Marthe de Fels sur Vauban. Ils me peignent
excellemment. Je lis encore avec ravissement, dans cette
même étude, une autre phrase, où je me trouve : « N'était-
ce pas la condition même du réalisme de son esprit
concret, où les fumées du songe n'avaient point droit
d'asyle dès lors qu'il s'agissait d'œuvrer... » Car je n'ad-
mettais pas, si jeune encore que je fusse en ce temps, que
je ne pusse et dusse être utile. La poésie, la littérature
même, me paraissaient les fleurs d'une vie désœuvrée; et
j'avais l'oisiveté en horreur.

Me voici amenée à préciser déjà certains traits de mon
caractère qui ne s'accentuèrent et dont je ne pris conscience
que par la suite. Mon opposition avec madame Parmentier, malgré la grande affection que je pouvais avoir pour
elle, m'aida beaucoup. Nous nous développons dans la
sympathie, mais c'est en nous opposant que nous appre-
nons à nous connaître. Cette opposition n'avait du reste
rien de commun avec celle qui m'animait contre mon
père et qui s'aggravait alors de mépris. Je n'avais pour
madame Parmentier que de l'estime. En dépit de cette
opposition, je m'entendais avec elle à merveille, et elle ne
laissait pas d'être sensible au zèle que j'apportais au
travail. Cependant j'avais également besoin d'autres leçons
que les siennes, et maman recourut à un professeur pour
l'histoire et la géographie. Le docteur Marchant, si sur-
mené qu'il fût, consentit à me donner une heure tous les

deux jours, pour les sciences. Ces leçons avaient lieu chez
lui, le soir, et se prolongeaient souvent en causeries où
je trouvais plus grand profit encore que dans les leçons
elles-mêmes.

Le docteur Marchant possédait tout ce qui manquait
à mon père : et d'abord une valeur réelle, des connaissances solides et le parfait mépris des feintes et du faux
semblant. Son aspect bourru cachait une nature très tendre.
L'admiration que j'avais pour lui n'empêchait pas que
je ne m'opposasse également à lui, mais pour d'autres
raisons encore. Comme les entretiens que j'avais avec lui
ne prirent point fin avec mes examens mais reprirent par-
delà de plus belle, il est possible que ce que je vais en
dire se reporte plutôt à 1914, ou même un peu plus tard,
et que ne devinssent sensibles qu'à mon esprit un peu mûri
certains traits de son caractère avec lesquels je ne pouvais
m'accorder. Son dévouement, son désintéressement ab-
solus, cette sorte d'ardente charité qui le penchait vers
les souffrances, tout cela reposait sur un nihilisme déses-
péré. Quant à moi, chez qui les sentiments religieux
n'avaient jamais été bien vifs (et ceux qu'affectait mon
père suffisaient à m'en dégoûter), je cessai très vite de
croire à quoi que ce fût d'irréel. Mais, tandis que le docteur
Marchant acceptait la profonde misère des hommes, « que
nous pouvons tout au plus adoucir un peu », disait-il, je
ne pouvais admettre que là se bornât notre espoir. Il me
traitait de chimérique lorsque je parlais d'une amélioration
possible de l'état social, et cela me faisait enrager; j'en
parlais alors comme une enfant et ce que j'en disais,
évidemment, prêtait à sourire. Je le sentais; mais j'en

tenais pour ma « chimère ». Je tenais ferme. Cet espoir
qui m'habite a dirigé ma vie. Il était, en ce temps, bien
vague encore et j'aurais peut-être mieux fait d'attendre
pour en parler; je l'ai fait par impatience.

Je relis ce que je viens d'en dire et qui me satisfait bien
peu. Dès que l'on ne fait plus partie d'une église, combien
hasardeuse, incertaine et osée paraît toute profession de
foi ! Je viens de lire dans une revue américaine les répon-
ses à une enquête : « What do you believe ? » Cette question
était adressée aux plus illustres écrivains, savants, hommes
d'États, financiers, industriels, etc., de tous les pays.
Seuls ont paru répondre avec assurance ceux qui se ratta-
chent à l'orthodoxie catholique. Mais la vraie réponse
des autres, c'est leur œuvre entière, c'est leur vie. On peut
rester tâtonnant lorsqu'il s'agit de parler et résolu dès
qu'il s'agit d'agir. Je n'ai que faire des théories, et crois
savoir très bien ce que je veux, encore que je sache très
mal le dire. Du reste, s'il m'était possible de l'exprimer
en quelques phrases, je n'aurais pas entrepris ce long
récit.

Madame Marchant avait été l'amie d'enfance de ma
mère. Modeste jusqu'à l'effacement, presque insignifiante,
du moins la voyais-je telle à cette époque de ma vie, car
j'avais en ce temps peu de goût pour découvrir ce qui se
cache sous l'apparence des êtres et méprisais la modestie;
si mon père représentait pour moi le type d'homme que
je ne voulais pour rien au monde épouser, madame Marchant représentait le type de femme que je ne voulais
point être. Rien ne justifiait à mes yeux l'amour que lui
témoignait le docteur; elle me paraissait négligeable. Elle

vivait dans l'ombre et la dévotion de son mari. Le ménage
était assurément des plus unis, en dépit des cyniques
propos du docteur qui tenait le mariage pour « une institution ridicule ». Il ne craignait pas de prononcer ces
mots devant moi, si jeune que je fusse alors, et malgré
les regards courroucés de mon père qui professait le plus
grand respect pour « cette institution sacrée ».

Instruite de bonne heure par ma mère qui ne pensait
pas que l'ignorance pût être jamais de quelque profit que
ce soit, je savais que les enfants ne sont pas les fruits
spontanés du sacrement du mariage ; j'avais compris aussi
que les rapports charnels qui permettent la procréation
se passent souvent de l'approbation de l'Église et de la
loi. Mais, dès l'instant que les gens étaient mariés, pourquoi certains couples demeuraient-ils stériles ? C'est ce qui
me préoccupait beaucoup, et particulièrement lorsque je
pensais au ménage de nos amis Marchant.

— C'est une question affreusement indiscrète, — me
dit ma mère, lorsque je la lui posai. — Tu sais bien que
je ne refuse presque jamais de te répondre... Mais d'abord
il y a beaucoup de ménages qui préfèrent ne pas avoir
d'enfants.

— Pourquoi ?

— Mais, mon petit, pour une quantité de raisons
morales ou matérielles plus ou moins valables.

— Comment font-ils pour ne pas en avoir ?

— Cela, tu n'as vraiment pas à le savoir maintenant,
— dit maman en rougissant un peu, non tant sans doute
de ma question que de son refus d'y répondre.

J'avais pourtant posé cette question le plus ingénument

du monde et sans du tout en soupçonner l'indécence.
N'ayant encore, du désir sexuel et de la volupté, que l'idée
la plus confuse, la question des rapports conjugaux m'inquiétait beaucoup moins que celle de la progéniture.

— Tu crois que les Marchant préfèrent ne pas avoir
d'enfants ? — demandai-je.

— Non, je ne le crois pas, — dit maman; et bien vite
elle ajouta : — Mais on n'obtient pas toujours ce que
l'on souhaite.

— Alors tu crois qu'ils voudraient bien avoir des
enfants, mais qu'ils ne peuvent pas ?

— Mon petit, tu vois comme c'est dangereux de commencer à te répondre, — dit maman, la main sur la poignée
de la porte et battant en retraite. — Tu veux toujours
en savoir davantage.

Le fait est que ces quelques phrases de maman me
laissaient bien insatisfaite. Et, comme la question restait
pendante en mon esprit, je résolus, avec l'intrépidité
cynique et ingénue de mon jeune âge, de m'en ouvrir
directement au docteur; mais il fallait pour cela me
trouver seule avec lui, et madame Marchant assistait
presque toujours aux leçons. Cette conversation se trouva
donc remise à par-delà les vacances.

Celles-ci, que je passai en Bretagne, auprès de mes
cousins X..., furent presque toutes occupées par la lecture.

Les questions d'ordre sexuel, sur lesquelles certains
peuvent s'étonner ou se scandaliser de me voir m'attarder
dans ce récit, étaient bien aussi celles qui m'intéressaient
particulièrement dans les livres que je lisais. A ma curiosité ne se mêlait du reste aucune sensualité. Il avait fallu

tout le prestige de la voix de Sara pour me faire prendre
goût à la poésie de Baudelaire. Une sorte de crainte
instinctive m'écartait des images licencieuses, de tout ce
qui respire le désir ou le plaisir. Je n'étais pas sentimentale
non plus... Non, ce qui occupait mon esprit, c'est tout ce
qui touchait à ce qu'on appelle pompeusement : les
prérogatives de la femme. J'ai dit que je ne m'intéressais
guère aux romans. Les peines de cœur ne me paraissaient
pas valoir la peine qu'on prend à les peindre. Mais, pour
qu'un livre trouvât grâce à mes yeux, il suffisait parfois
d'une simple phrase, comme cette déclaration que je
trouvai dans l'absurde *Jane Eyre* et copiai tout aussitôt
dans un cahier que je réservais à cet usage et sur lequel,
en guise de titre, j'avais inscrit les deux lettres : I F, en
souvenir de la *Ligue pour l'Indépendance Féminine* et de mes
deux premières amies.

« Il est vain de dire que les créatures humaines doivent
trouver leur contentement dans le repos; ce qu'il leur
faut, c'est l'action, et elles la créeront si la vie ne la leur
fournit pas. Il y a des millions de gens condamnés à une
vie plus tranquille que la mienne, et des millions sont en
état de silencieuse révolte contre leur sort. Personne ne
sait combien de rébellions (indépendamment des rébellions
politiques) fermentent dans la masse vivante qui peuple
la terre. Les femmes, on les suppose calmes généralement;
mais les femmes sentent, tout comme les hommes; elles
ont besoin d'exercer leurs facultés et, comme à leurs
frères, il leur faut un champ d'action pour leurs efforts.
Autant que les hommes, elles souffrent d'une contrainte
trop stricte, d'une stagnation trop absolue. C'est par

étroitesse d'esprit que leurs compagnons plus favorisés
prétendent qu'elles doivent borner leurs soins à la cuisine
et à la couture, aux arts d'agrément et à la broderie. Il n'y
a aucune raison de les condamner ou de se moquer d'elles
lorsqu'elles aspirent à plus d'action ou à plus de savoir
que l'usage n'a décrété qu'il convenait à leur sexe[1]. »
(*Jane Eyre*, chap. XII.)

De tous les livres que je lus alors, aucun n'occupa plus
longtemps ma pensée que *Clarissa Harlowe*. Malgré mon
peu de goût pour les fictions, c'est sans en sauter une ligne
que je lus les cinq volumes de ce roman jadis célèbre et
qui ne trouve aujourd'hui, je crois, plus beaucoup de
lecteurs. Sans doute eut-il sur moi une influence considé-
rable (pas tout à fait, je pense, celle que pouvait souhaiter
Richardson); c'est pourquoi je dois en parler. J'y remar-
quai d'abord que tous les malheurs de Clarissa viennent
de sa dévotion, de sa soumission à ses parents, de son
respect pour son odieux père. Il fallait bien tout l'art de

---

1. « It is vain to say human beings ought to be satisfied with tranquillity :
they must have action; and they will make it if they cannot find it. Millions are condemned to a stiller doom than mine, and millions are in
silent revolt against their lot. Nobody knows how many rebellions besides
political rebellions ferment in the masses of life which people earth.
Women are supposed to be very calm generally : but women feel just as
men feel; they need exercise for their faculties, and a field for their efforts
as much as their brothers do; they suffer from too rigid a restraint, too
absolute a stagnation, precisely as men would suffer; and it is narrow-
minded in their more privileged fellow-creatures to say that they ought
to confine themselves to making puddings and knitting stockings, to
playing on the piano and embroidering bags. It is thoughtless to condemn
them, or laugh at them, if they seek to do more or learn more than custom
has pronounced necessary for their sex. »

Richardson, pensai-je, pour que cette humilité excessive
ne suffît pas à la rendre ridicule à nos yeux. En la douant
de toutes les vertus, en la faisant infiniment supérieure
à son père, le romancier rendait d'autant plus révoltante
la soumission de cet ange à l'autorité monstrueuse de cet
être borné.

Mais bien plus encore m'indignait l'insigne importance
accordée, dans ce livre, à la chasteté. Encore que Clarissa
ne se montrât jamais de vertu plus triomphante qu'après
qu'elle eut été lâchement déflorée, cette assimilation de
l'honneur à la pureté me paraissait proprement inadmis-
sible. En ce temps je ne pouvais savoir combien souvent,
dans l'abandon charnel, l'âme même se démantèle. Il
entrait du reste beaucoup de résolution et de parti pris
dans mes indignations d'alors, et mes réactions les plus
sincères devaient bientôt m'apprendre combien je demeu-
rais différente de ce que j'avais la prétention d'être. Quoi
qu'il en fût, je protestais qu'une femme peut être vertueuse
autrement que par sa réserve et que le plus ou moins
d'honnêteté réside ailleurs que sur le plan des rapports
charnels. Tout ceci se ressentait beaucoup encore des
conversations avec mes deux amies, où nous poussions
jusqu'au défi notre mépris du convenu et de l'opinion du
grand nombre. Nos propos étaient d'autant plus hardis
qu'ils n'entraînaient point la participation de nos sens.
Toutes trois nous admettions que l'accouplement pût se
passer d'autorisation légale; toutes trois nous nous décla-
rions volontiers résolues à la maternité en dehors du
mariage; mais si, moi du moins, je parlais aussi aisément
et légèrement de l'amour, c'est que je ne songeais qu'à ses

suites; c'est que j'ignorais la volupté et n'avais même
aucune appréhension du plaisir, de sorte que je pensais
pouvoir disposer toujours librement de moi-même. Certainement, mon trouble auprès de Sara eût pu m'avertir;
mais s'il étourdissait tout mon être, c'était de façon trop
vague pour que j'y pusse alors reconnaître précisément
du désir. Si quelque initiation précoce ne vient pas le
localiser, le désir peut rester épars et ne se manifester
d'abord que par un insolite désarroi. Après tout, ce que
j'en dis n'était peut-être vrai que pour moi. Sara, je crois,
était beaucoup moins innocente et sans doute à l'attrait
de sa beauté s'ajoutait-il celui d'une lasciveté secrète; et
c'était là, je crois, ce qui me troublait.

Je connaissais le docteur Marchant depuis ma plus
tendre enfance et suis restée longtemps sans comprendre
pourquoi ma mère ne l'avait pas épousé de préférence à
mon père. Mais une conversation avec maman, et plus
tard son journal m'apprirent que le docteur Marchant lui
fut présenté par mon père, et que tout d'abord le docteur
lui avait beaucoup déplu. Évidemment, il peut paraître
très froid à première vue; mais c'est, je crois, qu'il a
beaucoup à se défendre contre les entraînements de son
cœur. Dès qu'il se laisse aller, son regard se charge de
tendresse. Je l'entendais traiter de « matérialiste » par mon
père, et de « pessimiste » par ma mère, longtemps avant
de savoir ce que ces mots voulaient dire. Quand, plus
tard, je commençai de discuter avec lui, c'est contre son
pessimisme seulement que je protestais.

— Mais, mon petit (il m'appelait « mon petit », comme
faisait ma mère), je ne te blâme pas d'avoir ces idées-là,

— me disait-il lorsque je déclarais que mieux vaudrait
tâcher d'empêcher la misère que de chercher seulement à
la soulager. — C'est de ton âge. On rêve à des réformes
de la société, à des répartitions plus équitables. Mais les
systèmes les meilleurs ne rendront pas les hommes moins
mauvais. — Et il se plaisait à citer le mot de Chamfort :
« Quiconque, à quarante ans, n'est pas misanthrope, n'a
jamais aimé les hommes », ajoutant qu'il avait décidément
passé la quarantaine.

A ce moment, nous étions seuls, par grand hasard, le
docteur et moi; il dit encore :

— A combien de gens ne nous intéressons-nous pas,
simplement parce que nous les voyons souffrants et misé-
rables; lesquels, guéris et fortunés, nous paraîtraient aussitôt répugnants. Allons ! la voici qui pleure...

En ce temps-là, je pleurais encore pour un rien, en
dépit de ma volonté, si tendue qu'elle pût être, et cela me
fâchait beaucoup contre moi-même. Cette fois encore, je
n'avais pu retenir mes larmes; mais c'était d'indignation
que je pleurais et de dépit de ne trouver rien à répondre,
ou, du moins, de ne pouvoir exprimer les pensées qui se
pressaient en moi et naissaient non point tant dans ma
tête, me semblait-il, que dans mon cœur. Je n'étais pas
si jeune que je ne pusse me douter déjà que nombre des
maux dont souffrent les hommes sont dus non point
tant à des causes réelles, qui en elles-mêmes n'auraient
rien de bien douloureux, qu'aux jugements que l'on porte
sur elles. Je venais de lire *Adam Bede* avec madame Parmentier et songeais en particulier à la détresse d'Hetty
Sorrel. Je ne consentais point à la considérer comme cou-

pable pour s'être laissé séduire, puis pour avoir abandonné
désespérément son enfant, accablée qu'elle était par la
condamnation que d'avance elle sentait peser sur elle. Ce
qui me paraissait condamnable, c'était d'abord l'amant qui
l'avait abandonnée, puis la société qui faisait peser sur
elle seule une réprobation que méritait surtout son séducteur. J'eusse voulu la citer en exemple; mais je doutais
que le docteur Marchant eût lu ce livre, et c'est avec
madame Parmentier que je repris et poursuivis la discus-
sion.

— Vous auriez condamné Hetty Sorrel ?

— Je ne me sens le droit de condamner personne.

— Ce n'est pas une réponse. On propose un cas particulier et vous vous réfugiez dans des généralités.

— Je crois que j'aurais eu pitié d'elle, comme eut
pitié d'elle Dinah Morris, tout en la reconnaissant coupable.

— Coupable de quoi ?

— A quoi sert de le demander ? Coupable d'abord
de s'être laissé séduire, puis d'avoir abandonné son
enfant.

— Ce n'est qu'à contrecœur qu'elle l'abandonne et
parce qu'elle ne pouvait faire autrement. C'est le jugement
de la société qui la force à commettre ce crime. Elle sait
qu'il n'y a plus de place, dans la société, ni pour elle, ni
pour son enfant. C'est cela que je trouve monstrueux.

— J'ai pitié d'elle parce qu'elle se repent.

— Et elle se repent parce que Dinah Morris lui fait
espérer que le pardon de Dieu suivra sa repentance. Mais
la vraie criminelle, ce n'est pas Hetty, c'est la société; et

quand on pense que c'est au nom de Dieu que la société
la condamne !...

— Voyons, Geneviève, vous ne pouvez pas l'approuver.

— Je la plains de tout mon cœur; mais c'est la société
que je désapprouve... Madame Parmentier, je voudrais
savoir... Vous trouvez que c'est très mal d'avoir un
enfant sans être mariée ?

— C'est très mal de mettre au monde un enfant destiné
à être malheureux.

— Pourquoi forcément malheureux ?

— Comment ne serait pas malheureux un enfant sans
père ?

— Oh ! madame Parmentier, ce n'est pas à moi qu'il
faut dire cela; vous ne me parleriez pas ainsi si vous
connaissiez bien mon père. Et, du reste, faut-il vraiment
que le père soit un mari, pour aimer son enfant ?

Madame Parmentier reprenait sans me répondre :

— Un pauvre enfant qui risque de n'être accueilli nulle
part, de recevoir partout des rebuffades et des affronts.

— Eh ! c'est cela précisément qui m'indigne. Ne
trouvez-vous pas monstrueux que...

Mais elle continuait sans m'entendre :

— De sentir mépriser sa mère et, ce qui est encore pis :
de devoir la mépriser lui-même.

— Oh ! madame Parmentier, comment pouvez-vous
dire cela ? Alors, selon vous, pour avoir le droit d'avoir
des enfants, une femme doit consentir à lier toute son
existence à un homme que peut-être elle ne pourra pas
continuer d'aimer ?

— Elle n'a qu'à le bien choisir.

— Et si encore c'était elle qui choisissait ! Mais vous savez bien que le plus souvent elle ne peut que se laisser choisir.

— Elle reste libre de refuser, si celui qui la demande en mariage ne lui plaît pas.

— Elle peut s'illusionner d'abord, comme je crois qu'a fait ma mère.

— Geneviève, vous ne devez pas juger vos parents. Je ne connais que peu votre père; mais il m'a paru charmant.

— Lorsqu'elle l'a épousé, il paraissait charmant à ma mère.

— Je considère votre mère comme une épouse irréprochable.

— C'est-à-dire qu'elle s'est toujours sacrifiée. Approuvez-vous quelqu'un de grand mérite, comme ma mère, de se sacrifier toujours à quelqu'un qui ne le vaut pas ?

— Un ménage uni ne va jamais sans de petits sacrifices réciproques, qui grandissent et embellissent celui qui les fait.

— Madame Parmentier... Pourquoi appelle-t-on : tromper son mari, le seul fait de ne pas lui être fidèle ? Cela peut pourtant bien aller sans tromperie. Et ne le trompe-t-on pas davantage, et soi-même avec, en lui restant fidèle sans plus l'aimer ?

— Certainement pas. Quelles questions vous me posez là ! On peut ne plus s'aimer autant qu'aux premiers jours; mais aimer un autre homme, c'est là que tromper commence. Quant à moi je n'ai jamais eu de mérite à

demeurer fidèle, car je n'ai jamais cessé d'aimer mon mari.
Mais, même en aimant un peu moins, le mariage contient
une promesse de rester fidèle à la foi jurée.

— Aussi je préfère ne jurer point.

Sans doute ai-je beaucoup simplifié cette conversation,
qui fut longue. Elle eut lieu au printemps en 1914. Je me
souviens d'un énorme bouquet de lilas, sur la grande
table de la bibliothèque où nous nous tenions ; il répandait
un parfum si fort que madame Parmentier me demanda
d'ouvrir la fenêtre, bien que l'air du dehors fût encore
froid. J'aurais peut-être dû dépeindre les lieux, et madame
Parmentier, et moi-même ; mais ce n'est pas un roman que
j'écris, et les descriptions ne m'importent guère, dans les
livres d'autrui non plus.

J'avais passé en novembre la seconde partie de mon
baccalauréat ; car je m'étais fait stupidement recaler en
juillet. La joie de mon père, en apprenant mon échec,
avait été comme un coup de fouet à mon amour-propre
et je redoublai de zèle. Gisèle, qui préparait le même
examen, avait été reçue aussitôt. Je la revoyais de temps
à autre ; mais madame Parmentier ne favorisait pas nos
rencontres. La liberté de mes propos pouvait l'amuser,
mais l'effrayait un peu pour sa fille. Pourtant Gisèle ne se
laissait guère influencer, et non plus par moi que par sa
mère, encore qu'elle l'adorât ; mais elle savait au besoin
lui tenir tête, sans élever jamais la voix, avec obstination et
avec une douceur désarmante, de sorte que c'était toujours madame Parmentier qui cédait.

Nous avions, Gisèle et moi, beaucoup d'idées commu-
nes, et c'étaient précisément les plus hardies, ce qui me

donnait beaucoup d'assurance, car j'avais grande confiance
en sa sagesse que je reconnaissais bien supérieure à la
mienne et incapable de ces excès où mon humeur souvent
m'entraînait. Gisèle apportait à tout ce qu'elle entreprenait
une pondération singulière; son intelligence dominait de
très haut et modérait les entraînements de son cœur. Je ne
la vis jamais céder rien à la vanité; et, précisément parce
que sa beauté et son esprit lui eussent assuré tous les
succès dans le monde, elle se refusait d'y aller et déclarait
vouloir pousser plus loin ses études. La philologie l'attirait, « ne serait-ce qu'en souvenir de mon père, à qui je
crois que je ressemble beaucoup », me disait-elle. J'étais
également décidée à continuer de m'instruire, n'admettant
pas, non plus que Gisèle, de demeurer désœuvrée. Et, de
plus en plus, nous prétendions assurer notre indépendance
et n'avoir à compter sur l'aide ni de parents, ni d'un mari;
« ni d'un amant », ajoutions-nous. Car le déshonneur, selon
nous, n'était pas d'avoir un amant, mais de « se faire entretenir ».

— Présentement s'ouvrent aux femmes un certain
nombre de carrières dans lesquelles je pourrais espérer
réussir, — disais-je à Gisèle. — Mais ce sont des profes-
sions où le mieux que la femme puisse, c'est de faire
oublier qu'elle n'est pas un homme. Ce que je voudrais
c'est... Enfin je cherche une situation qui ne puisse être
occupée que par une femme. Je suis convaincue que les
femmes sont capables de beaucoup plus et de bien autres
choses qu'on ne le pense généralement et qu'elles ne le
savent elles-mêmes. Jusqu'à présent on ne leur a jamais
laissé la possibilité de manifester leur valeur. Je voudrais,

vois-tu, inventer une carrière qui me permît d'aider les femmes en leur apprenant à se connaître, à prendre conscience de leur valeur.

— Mais comment ? Mais par quel moyen ?

— Je ne sais pas encore. Du moins tu ne ris pas de moi. Ce que je te dis ne te paraît pas trop absurde ?

— Pas absurde du tout. Mais je crois que le plus grand nombre de femmes se trouvent parfaitement satisfaites de la dépendance où les maintient la flatteuse galanterie des hommes. Ce qu'il faudrait d'abord obtenir, c'est qu'elles-mêmes souhaitassent changer.

— Tu ne trouves pas que ces hommages mêmes que les hommes rendent au « beau sexe » ont quelque chose d'avilissant ?

— Oui, d'avilissant pour les hommes.

— Et qu'une femme peut aspirer à mieux qu'à éveiller des désirs, à se faire adorer, à s'assujettir un homme ou des hommes ?

— Sans compter que cela doit être terriblement encombrant, cette adoration. Si je ne pensais pas comme toi, je ne chercherais pas à m'instruire.

— Écoute, Gisèle : je crois fermement qu'il y a beaucoup de femmes capables ; qu'il y a beaucoup plus de valeur qu'on ne croit parmi les femmes ; et que toute cette valeur reste inemployée, parce qu'on ne la connaît pas, parce qu'elle-même ne se connaît pas, parce que jusqu'à présent on ne l'a jamais appelée à se manifester, à se produire.

— Oui, mais je crois aussi qu'il peut entrer beaucoup de valeur et de vertu dans la soumission.

— C'est précisément contre cette soumission que je proteste. Dans la soumission cette valeur reste sous le boisseau. Les qualités féminines peuvent être différentes de celles des hommes sans être pour cela inférieures. Pourquoi soumettre celles-ci à celles-là ?

— Si les femmes n'étaient point belles et ne se sentaient pas désirées, elles prétendraient à mieux qu'à plaire.

— Combien je t'aime, Gisèle, de ne pas t'en tenir à ta beauté !

— Je ne sais pas si je suis belle; je ne veux m'inquiéter que des qualités et des défauts de mon esprit. Pourtant j'avoue que je souffrirais beaucoup d'être laide et que j'aurais moins de cœur au travail s'il devait n'être pour moi qu'une compensation.

— Ce n'est pas seulement plus d'instruction que je voudrais pour la femme, mais plus d'initiative, plus de courage, plus de décision.

— Les lois nous en permettent bien peu.

— A propos... Je voudrais faire mon droit. Quelle belle expression, tu ne trouves pas ? « Faire *son* droit ! » Si seulement cela voulait dire un peu plus que simplement suivre des cours ! Les droits de la femme, je voudrais apprendre à parfaitement bien les connaître; et pas seulement tels qu'ils sont en France; pour pouvoir mieux donner ensuite, à un tas de femmes, la conscience de leurs pouvoirs.

— Et de leurs devoirs, je suppose.

— Évidemment. Qui peut plus, doit plus; oui, je sais. Quelle belle chose pourtant ce serait d'assumer de nouveaux devoirs ! Et d'éveiller chez d'autres femmes le désir de les assumer. Je crois qu'il y a en nous beaucoup de possibilités et de besoins qui s'ignorent, qui sommeillent dans l'attente, et que souvent il suffirait d'un appel pour les éveiller. Je voudrais dire à chaque femme ce que, depuis quelque temps, chaque matin je me dis à moi-même : IL NE TIENT QU'A TOI.

— De faire quoi ?

— Oh ! n'importe. Je pense à ce récit de l'Évangile, lorsque le Christ dit à la femme paralytique : « Lève-toi, prends ton lit et marche. » Et la femme aussitôt se lève et commence à marcher.

— Hélas, Geneviève, tu n'es pas le Christ, pour faire des miracles ; tu ne feras pas marcher les impotents.

— Je ne peux ni ne veux croire aux miracles. Si la femme se lève, c'est qu'elle pouvait se lever. Elle pouvait, mais elle ne savait pas qu'elle pouvait. Il fallait cette injonction, et il suffisait d'elle, pour lui donner conscience de son pouvoir. Jusqu'où s'étend ce pouvoir de la femme, c'est ce que je voudrais d'abord apprendre à bien connaî-tre, pour me garder de l'inviter à rien, d'exiger rien, que je ne sois certaine qu'elle puisse obtenir. Et naturellement c'est sur moi-même d'abord que je veux éprouver la force et la vertu de cette exigence.

Gisèle alors m'attira contre elle et m'embrassa sur le front :

— Je ne peux que te redire les paroles du Christ que tu citais : Lève-toi et marche. Il ne tient qu'à toi.

Ce n'est que quelques mois plus tard que je pus avoir avec le docteur Marchant l'importante conversation que, depuis longtemps, je me promettais. Leçons et entretiens réguliers avaient repris par-delà mes examens. Madame Marchant y assistait toujours; mais elle venait d'être appelée à Bayonne auprès d'une parente âgée, et le docteur attendait le moment de ses courtes vacances pour l'y rejoindre. Ceci se passait donc en juillet.

Je crains que l'on ne trouve bien hardis pour une jeune fille de dix-sept ans les propos que je vais rapporter; mais je répète que tout ce que je pouvais alors penser et dire restait parfaitement théorique. Ma pensée seule allait de l'avant, et d'autant plus audacieusement qu'elle ne s'inquiétait nullement du non-assentiment de mes sens. Le cynisme que j'affectais ne m'était pas naturel; je m'y forçais et devais, pour parler comme je faisais, prendre beaucoup sur moi. Je me félicitais alors de la victoire que je remportais sur moi-même en triomphant ainsi de ma réserve, de ma timidité, de ma pudeur. Tout cela m'apparaît aujourd'hui comme une sorte de comédie pour laquelle je fournissais à la fois la mise en scène, le débat et l'applaudissant spectateur. Donc, certain soir que je me trouvais seule avec le docteur Marchant, dans son cabinet de consultations où il me recevait comme à l'ordinaire et où j'étais venue le retrouver à huit heures et demie avec la ferme intention de lui parler, j'attendais le moment propice. Le temps passait. Je fis comme Julien Sorel : je me donnai jusqu'à neuf heures cinq, me répétant :

— Si je laisse l'aiguille des minutes dépasser ce point sans avoir abordé le sujet qui me tient à cœur, je saurai que je suis lâche et que, à l'avenir, je ne pourrai compter sur moi.

Le docteur, il m'en souvient, parlait alors précisément d'hérédité, m'exposait les lois de Mendel, disait les caractères qui sont ou non transmissibles. J'attendais qu'il reprît souffle, ce qu'il fit à neuf heures quatre. Alors, bien vite, avant qu'il n'ait eu temps de repartir, fermant les yeux, serrant les poings, comme lorsque je plongeais du haut du tremplin avant de très bien savoir nager, je m'élançai, le cœur battant au point que je doutais de pouvoir aller au bout de ma phrase :

— Oncle Marchant (c'est ainsi que je l'appelais), je voudrais savoir si vous n'avez pas voulu avoir d'enfants, ou si c'est que vous n'avez pas pu en avoir ?

Il eut un rire, un peu forcé, me sembla-t-il.

— Eh bien ! pour une « mutation brusque... » — dit-il, par allusion à ce qu'il venait de m'enseigner. Et, comme rien ne suivait :

— Vous préférez, je vois, ne pas me répondre; ou bien n'osez-vous pas ?

Il prit soudain un ton très grave :

— Mon petit, je peux bien t'avouer que la tristesse de n'avoir pas d'enfants a été, pour ta tante et pour moi, la seule ombre de notre ménage. La seule, — reprit-il un peu solennellement; — mais elle est de taille. Les années passent; nous voyons tous deux naître et grandir les enfants des autres et nous ne pouvons, elle ni moi, nous consoler de n'en point avoir. Tu vois que je ne crains pas de te parler franchement. Quant aux causes de cette... — Il hésita un peu, comme s'il cherchait un mot; il trouva : « stérilité », qu'il employa comme à contrecœur et les traits du visage un peu contractés, — tu me permettras, je suppose, de ne pas te les dire. Et, du reste, tu n'as que faire de les savoir.

— Ce qui m'importe, — repris-je, — c'est d'apprendre qu'il ne suffit donc pas ici de vouloir, pour pouvoir.

Le plus difficile restait à dire; je crus un instant que le cœur me manquait; puis, ressaisissant tout mon courage :

— Oncle Marchant, il faut que je vous dise... Je voudrais avoir un enfant.

— Tu es encore un peu jeune pour le mariage, — dit-il en souriant de nouveau. — Mais bientôt, jolie comme tu l'es et avec les relations de ton père (ceci avec un peu d'ironie, comme toujours lorsqu'il parlait de papa) les maris se proposeront d'eux-mêmes, et tu n'auras que l'embarras du choix.

— Peut-être... Mais je ne veux pas me marier.

— Oh ! oh ! — fit-il presque sarcastiquement en allumant une cigarette pour paraître plus à son aise, car manifestement le tour que prenait la conversation le gênait, — c'est de l'anarchie. — Il tira quelques bouffées, puis : — Après tout, cela ne m'étonne pas de toi.

Comme il n'ajoutait rien, je demandai :

— Vous trouvez cela très mal ?

Il prit un temps.

— A vrai dire : non. Je trouve cela très imprudent, ce qui n'est pas la même chose. Tu n'as sans doute pas encore envisagé les énormes difficultés qui rendent cela presque...

Je ne le laissai pas achever et, du plus calme que je pus :

— Il n'y a pas difficulté qui tienne, lorsqu'on est résolue comme je le suis.

Alors, sur un ton tout différent et comme pour couper court :

— Écoute, mon petit : tu n'es encore qu'une enfant. Nous reparlerons de cela dans quelques années, si ta résolution n'a pas changé.

Il se leva, estimant, je pense, que la conversation avait assez duré et qu'à présent je devais partir. Mais je restais assise. Alors il commença d'arpenter la pièce, puis, brusquement, s'arrêtant en face de moi :

— Mais peut-on savoir pourquoi tu refuses de te marier ? c'est tout de même tellement plus simple.

C'était plus simple aussi de ne pas répondre. Je ne pouvais donner toutes mes raisons; il eût ensuite fallu discuter... Je me tus. Il fit de nouveau quelques pas vers le fond de la pièce, puis, revenant vers moi :

— Mais d'abord, pour faire un enfant, il faut s'y mettre à deux, tu le sais.

— Je le sais.

— Tu aimes quelqu'un ?

— Je sais aussi que, pour cela, il n'est pas précisément besoin d'amour.

— Enfin tu as quelqu'un en vue ?

Il était de nouveau en face de moi. Il me regardait. Je levai les yeux vers lui, et, dans un grand effort, murmurai :

— Oui : vous.

Il partit d'un grand éclat de rire, très factice me sembla-t-il, et s'écria :

— Ah ! ça, par exemple ! — Puis s'étant levé et arpentant la pièce à grands pas, répéta par deux fois : — ça, par exemple ! — en haussant les épaules. Il ajouta, tourné

vers moi : — Et depuis quand t'es-tu mis cette absurdité
dans la tête ?

Je demeurai très calme et demandai simplement :

— Absurdité... pourquoi ?

Il répéta, très haut :

— Pourquoi ? Pourquoi ?... — Puis, plus bas mais
nettement, sèchement : — Parce que j'aime ma femme.
A présent, suffit, n'est-ce pas ? — et sortit sans me dire
adieu.

Mon cœur battait. J'avais le feu au visage et me sentis
soudain un violent mal de tête. Je ne partis pourtant pas
aussitôt, et bien m'en prit car mon oncle Marchant revint
quelques instants après. Il s'approcha de moi et posa
tendrement sa main sur mon épaule. Quand je le regardai,
je vis qu'il s'était passé de l'eau sur le visage.

— Voyons, mon petit, — dit-il d'une voix presque
tendre, — tu devrais pourtant comprendre que je ne veux
pas faire de peine à ta tante. Non ! mais vois-tu cela ?
Que j'aie un enfant qui ne serait pas d'elle, après qu'elle
regrette déjà tant de n'avoir pas pu m'en donner ? Mais
ça lui crèverait le cœur.

Sa main me caressait l'épaule; mais à présent j'avais
baissé la tête. Je me levai.

— Allons ! — dit-il; — quittons-nous bons amis tout
de même. Mais... non; ce soir tu mérites que je ne t'embrasse pas.

Je serrai la main qu'il me tendait; et, brusquement,
irrésistiblement, posai sur cette main mes lèvres; puis
m'enfuis.

A vrai dire, c'est à partir de cet instant seulement que

je commençai d'aimer le docteur Marchant, ou, plus
exactement : de me figurer que je l'aimais. Je crois que je
l'aurais soudain détesté tout au contraire s'il avait abondé
dans mon sens. En tout cas, mon embarras eût été extrême
et j'aurais dû furieusement « prendre sur moi »; car mon
être physique n'approuvait nullement cette embardée de
mon esprit. Et, de même, mon esprit s'irritait de cette
retenue, prétendait passer outre; et j'enrageais de me
sentir malgré moi si pudique et si réservée. Quelle enfant
je pouvais être encore ! naïvement convaincue que l'on
pouvait disposer à son gré de son corps et de son cœur, je
tenais en grand mépris les amoureux involontaires et prétendais n'aimer personne que je n'eusse résolu d'aimer.
Aussi vainement, aussi absurdement aurais-je résolu de ne
point laisser mes seins se gonfler. La vie avait encore tout
à m'apprendre, et principalement ceci : c'est qu'il faut
n'aimer point pour disposer de soi librement.

Je revis le docteur Marchant peu de temps après.
Madame Marchant était de retour de Bayonne, mais, au
bout de peu d'instants, elle se retira, contrairement à son
habitude, ce qui me laissa croire que le docteur lui avait
demandé de nous laisser seuls.

— Écoute, mon petit, — me dit-il aussitôt, — je ne
voudrais pas que notre conversation de l'autre soir laissât
la moindre gêne entre nous. Mais cela ne se peut que si
tu acceptes que je ne prenne pas au sérieux ce que tu m'as
dit.

Il était assis devant sa table et parlait sans me regarder.
La lampe éclairait en plein son beau front; je regardais
son visage, ses mains, tout son être, et me demandais :

ai-je désir de l'embrasser ? de le serrer dans mes bras ?
d'être enlacée par lui ?... J'étais bien forcée, en dépit de
moi, de me répondre : non. Il prit un coupe-papier d'ivoire
sur la table, en passa le tranchant sur ses lèvres; et je ne
souhaitai décidément pas être à la place du coupe-papier.
N'importe ! Je décidai pourtant que j'aimais le docteur.
Il reprit :

— Non, pas tout ce que tu m'as dit, peut-être; mais la
dernière chose... inutile que je précise. Quant au reste...
Écoute un peu, mon petit : il m'est arrivé souvent, très
souvent, dans ma carrière, d'avoir à m'occuper de pauvres
filles qui s'étaient laissé engrosser, par faiblesse, par mala-
dresse ou par amour; quelques-unes volontairement, et le
plus souvent alors, avec l'espoir bien vain de s'attacher
un amant. Presque toutes beaucoup plus à plaindre que
tu ne sembles le croire. Mais jamais, jusqu'à présent, je
n'ai rencontré de femme, de jeune femme, qui songeât à
avoir un enfant sans songer d'abord à l'amour. Un enfant,
c'est la conséquence, souhaitée ou non et pas inévitable,
de quelque chose qui doit compter d'abord beaucoup plus
que l'enfant; de quelque chose dont tu as l'air, toi, de ne
pas vouloir tenir compte. Pour ne pas trouver cela monstrueux (et, comme je risquais un geste, il répéta : oui,
monstrueux !) j'ai besoin de me dire que tu es encore
beaucoup trop jeune pour...

Je l'interrompis.

— Pas trop jeune pour avoir un enfant, tout de même ?

— Non, parbleu ! (J'aurais dû dire : hélas !) Mais pour
parler d'en avoir.

Le docteur s'était levé et avait fait quelques pas dans

la pièce. Il y eut un silence prolongé, que je me gardai
d'interrompre.

— Je voudrais pourtant comprendre ce qui t'attire, —
reprit-il enfin sur un ton d'agressive ironie en s'arrêtant
devant moi. — Est-ce la grossesse ? Est-ce l'accouchement ?... Je puis t'affirmer que cela n'a rien de particulièrement délicieux.

Je me taisais toujours mais, à chacune de ses questions,
remuais la tête en signe de dénégation. Il continuait :

— Est-ce l'enfant lui-même ? Son allaitement ? Le plaisir de changer ses langes ? De jouer à la poupée ?

Les questions du docteur me paraissaient absurdes. Si
raisonnable d'ordinaire on eût dit qu'il perdait la tête. A
vrai dire je n'avais jamais analysé les composantes de ma
résolution mais, dans mon cas particulier, je crois qu'il
entrait encore et surtout de la protestation ; oui : de la
protestation contre un ordre établi que je me refusais à
reconnaître, contre ce que mon père appelait « les bonnes
mœurs » et, plus spécialement encore, contre lui, qui les
symbolisait à mes yeux, ces « bonnes mœurs » ; un besoin
de l'humilier, de le mortifier, de l'amener à rougir de moi,
à me désavouer ; un besoin d'affirmer mon indépendance,
mon insoumission, par un acte que seule une femme
pouvait commettre, dont je prétendais assumer la pleine
responsabilité, sans trop envisager ses conséquences. Je
tâchai, bien confusément, d'expliquer un peu tout cela à
Marchant. Mais les beaux arguments, que je tenais pour
péremptoires tant que je les gardais par-devers moi, me
paraissaient, à mesure que je les exposais, de plus en plus
déplorablement enfantins. Sans doute ne méritaient-ils

qu'un haussement d'épaules. Je fus presque surprise par
le ton conciliant que Marchant prit pour me dire :

— Écoute, mon petit, pour une femme qui souhaite
la liberté, te rends-tu compte de ce que c'est que d'avoir
la charge d'un enfant ? Quelle dépendance ! Quel escla-
vage !

Et, comme je ne répondais rien :

— Têtue comme une mule, décidément, — fit-il en
haussant les épaules.

— J'espérais de vous, je l'avoue, autre chose qu'une
réprimande, — dis-je après un assez long silence.

— Tu espérais quoi ?... Un conseil... Je m'en vais t'en
donner un très net : c'est de penser à autre chose.

À ce moment, on entendit ma tante approcher. Sans
doute voulait-elle nous avertir, car elle faisait beaucoup
plus de bruit qu'il n'était nécessaire, et même, à très
haute voix, demanda qu'on lui ouvrît la porte, car elle
avait les bras chargés. Craignait-elle donc de nous sur-
prendre ? Du coup, j'interprétai différemment sa conti-
nuelle présence durant la leçon du docteur.

Elle apportait sur un plateau des verres et de l'oran-
geade, que nous bûmes tous trois presque en silence, ou
ne disant plus que de ces banales fadaises où je la croyais
cantonnée, parce que je m'y cantonnais devant elle.

Je ne voyais plus Gisèle que de loin en loin, je l'ai dit,
mais restais extrêmement soucieuse de son opinion; je
lui reparlai de ma résolution.

— Non, je ne la désapprouve pas précisément, — me
dit-elle, — mais décidément nous différons beaucoup. A

cause de toi sans doute, je me suis longuement interrogée.
Je crois, vois-tu, que je suis de ces femmes qui ne sont
capables que d'un seul amour. Et je me dis : Alors pourquoi ne pas épouser celui que j'aimerai ?

Je repris :

— Quant à moi, je ne puis accepter de me donner
toute à quelqu'un. Je me révolte à l'idée de devoir soumettre ma vie à celui qui me rendra mère, et je veux que
lui, de son côté, reste libre. N'admets-tu pas qu'au lieu
de se donner l'un à l'autre, on se prête ?

— Celui qui se prêterait à ce jeu, pour la femme si
plein de conséquence, comment aurais-tu pour lui quelque
estime ? — Et, comme je ne répondais rien, elle reprit :
— Vois-tu, Geneviève, toutes tes belles théories, la vie
se chargera de les bousculer, je le crois... Et ce sera tant
mieux, — ajouta-t-elle, en souriant, puis fredonnant à
demi-voix :

> *Nous tromper dans nos entreprises*
> *C'est à quoi nous sommes sujets.*
> *Le matin, je fais des projets*
> *Et le long du jour des sottises.*

— C'est de toi, ces jolis vers ?
— Penses-tu ! — dit-elle gaminement. — C'est un
petit quatrain de Voltaire que je me répète volontiers et
qui pourrait bien te convenir. Ma pauvre Geneviève, un
jour tu te laisseras séduire, tout comme une autre, en
dépit de tes belles résolutions ; ou, qui pis est, tu croiras
découvrir dans ton séducteur une intelligence extraordi-

naire et des tas de vertus qui n'existeront que dans ton imagination. Tu sais pourtant bien déjà ce que c'est que de s'éprendre et qu'alors l'on n'est plus du tout maître de soi.

— Que veux-tu dire ?

— A présent je crois que, pour toi ni moi, il n'y a plus de danger d'en parler. Tu ne t'es pas rendu compte n'est-ce pas que, moi aussi, j'ai été folle de Sara ? Oui, malgré ma belle réputation de sagesse, complètement affolée ; ma seule sagesse était de le laisser moins paraître que toi ; mais je n'en dormais plus. Oh ! ne t'alarme pas ; il n'y a jamais rien eu entre nous ; mais, dans ses bras, j'aurais fondu comme du sucre. Heureusement, Sara ne s'en est pas doutée. Si je t'en parle à présent, et avec calme tu le vois, c'est seulement pour te demander : admettant que Sara fût un homme, l'aurais-tu laissée te faire un enfant ?

La confidence de Gisèle m'avait fort émue. Je pris un peu de temps avant de pouvoir répondre, mais avec assurance :

— Non.

— Pourquoi ? demanda Gisèle, qui ajouta tout aussi-tôt : Il est bien entendu que nous mettons ici de côté tout « respect humain », toute pudeur, et toute morale apprise ; mais plus on se dégage de celle-ci, plus il importe, je crois, d'être exigeant envers soi-même. Tu le penses aussi, n'est-ce pas ?

— Certainement, et, si je me force au cynisme, ce n'est pas du tout, tu le sais, pour m'octroyer plus de plaisir...

— Alors, réponds : pas d'enfant à l'image de Sara... pourquoi ?

— Parce que l'attrait physique est pour moi de moindre importance que certaines qualités de l'intelligence et du cœur, celles précisément que n'a pas Sara ; celles que je reconnais en toi.

— Dommage que je n'aie pas un frère, — s'écria-t-elle aussitôt, en riant.

Puis, pour ne rien laisser de douteux entre nous, je lui racontai mes deux conversations avec Marchant. Elle était redevenue très sérieuse.

— Écoute, — me dit-elle, — tu devrais parler de tout cela avec ta mère. Telle que je la connais, elle te comprendra très bien.

— Oui, j'y pense depuis longtemps, et je me promets de lui parler un jour ; un peu plus tard. Mais pas de ce que je viens de te dire du docteur Marchant...

— Pourquoi ?

— Je crois qu'il vaut mieux pas.

Une sorte d'instinct m'avertissait.

C'est à Châtellerault, en octobre 1916, où j'allais revoir ma mère peu de temps avant sa mort, que je pus avoir avec elle cette conversation que je me promettais depuis longtemps. Ainsi que je le dis en quelques mots dans le court avant-propos qui précède le journal de ma mère, paru sous le titre de *L'École des Femmes*, ma mère était allée donner ses soins aux contagieux dans un hôpital de l'arrière aussi dangereux dans son genre que le plus exposé des fronts. J'avais voulu d'abord l'accompagner ;

elle s'y était refusée. Mais elle accepta que j'aille passer
quelques jours auprès d'elle, entre deux services d'ambu-
lance que je m'étais donnés pour tâche. Elle était donc,
lorsque je la revis, en costume d'infirmière qu'elle ne
quittait plus. L'hôpital était plein de malades; par crainte
des contagions, ma mère ne voulut pas m'y laisser entrer.
Et comme je protestais qu'elle y entrait bien :

— Oui, mais nous autres infirmières, nous sommes
immunisées, — me dit-elle en riant. — Songe donc !
après cinq mois... — C'était, je l'ai dit, très peu de jours
avant sa mort. Elle me parut très fatiguée par le surme-
nage et les veilles; mais, lorsque je lui dis qu'elle devrait
prendre un peu de repos, elle protesta qu'elle ne s'était
jamais mieux portée que depuis qu'elle n'avait plus le
temps de songer à elle, et qu'il en était de même pour les
soldats. — Et pour toi aussi, j'en suis sûre, — ajouta-t-elle.

Il est certain que j'allais beaucoup mieux, depuis que
j'étais uniquement occupée par le service des transports
de blessés. Mes troubles, mes inquiétudes de naguère,
m'apparaissaient lointains déjà. Je n'y pensais plus, ou
seulement pour en sourire, et c'est avec une parfaite
tranquillité que je commençai de parler à ma mère du
docteur Marchant.

— Je voudrais savoir ce que tu penses de lui, — dis-je.

— Mais je pense que c'est un médecin des plus remarquables et, de plus, un homme excellent.

— Oui, cela c'est ce que tout le monde dit de lui. Ce
que je voudrais, c'est un jugement plus personnel.

Elle resta longtemps sans rien dire, regardant à ses
pieds en souriant. Nous étions dans le jardin public de la

ville. Il faisait très beau ce jour-là, et, malgré la saison
avancée, l'air était presque tiède. Près de nous, des pigeons
qui picoraient le pain qu'un promeneur leur avait jeté
prirent leur vol. Elle me regarda en souriant davantage
avec une légère contraction des traits qu'elle ne pouvait
maîtriser.

— T'es-tu jamais doutée que j'aimais le docteur Marchant ? — commença-t-elle enfin d'une voix un peu tremblante. — Une telle confession de la part d'une mère, à sa
fille, est sans doute bien... — Elle ne trouva pas de mot
pour achever sa phrase et continua : — C'est un petit
secret que je n'avais dit à personne; et que je ne t'aurais
jamais dit si j'avais à en rougir... Un secret qui ne tire
guère à conséquence, puisque je n'ai jamais cherché son
amour, à lui... Mais quand j'ai cessé de tenir à l'estime
de ton père, c'est-à-dire quand j'ai cessé de l'estimer (je
pense qu'ici je ne t'apprends rien)... eh bien, j'ai eu besoin
de l'estime du docteur Marchant, et c'est elle qui m'a
soutenue dans certaines heures tristes et difficiles.

— Alors, tu ne lui as jamais parlé ? Pourquoi ?...
(Elle avait fait non de la tête, mais ne répondit pas au
« pourquoi ».) — Et tu es bien sûre qu'il ne s'est douté
de rien ?

Elle resta quelques instants silencieuse de nouveau, puis :

— Il y a quelqu'un qui, pourtant, s'est bien douté de
quelque chose... C'est sa femme.

— Madame Marchant ?

— Oui : mon amie. Et c'est à cause d'elle que je n'ai
jamais rien dit. Je ne voulais pas la faire souffrir.

— Sait-elle au moins ton sacrifice ?

— Mais, Geneviève, il n'y a pas eu de sacrifice. Tout était mieux ainsi.

Avec un peu d'impatience, je demandai de nouveau :

— Es-tu bien sûre que, lui, ne se soit douté de rien ? Elle cessa de sourire :

— De presque rien. — Elle m'embrassa sur le front, et, souriant de nouveau, avec un geste de la main comme pour chasser ces souvenirs : — Mon cher petit, pourquoi est-ce que je te raconte tout cela aujourd'hui ?... Je te surprends beaucoup ? Tu te souviens que tu t'étais mis dans la tête (je ne sais vraiment pas pourquoi) que j'étais amoureuse de ce pauvre brave Bourgweilsdorf ?

— Oui ; c'était ridicule, mais j'avais besoin d'imaginer que tu aimais quelqu'un d'autre que papa.

— Chut ! — fit-elle, comme en me grondant doucement. — Tu m'as dit des choses terribles ce jour-là.

— Je me souviens seulement que j'étais furieuse, parce que je croyais que tu te sacrifiais pour moi.

— Et quand cela eût été, Geneviève ?... — dit-elle avec une extraordinaire gravité.

— C'est que j'ai horreur des sacrifices.

— Tu parles comme quelqu'un qui n'a pas encore aimé. J'ai un peu froid, marchons. Et puis il va être temps que je retourne à l'hôpital.

Un léger vent commençait de souffler et des feuilles mortes tombèrent.

Nous nous levâmes.

— J'ai quelque chose encore à te raconter, — lui dis-je, poussée par une soudaine résolution. Et, tout d'une haleine : — Sais-tu ce qu'un jour j'ai dit au docteur

Marchant ?... Que je voulais avoir un enfant de lui.

Comme repoussée par un choc, je la vis reculer de deux pas.

— Mais, Geneviève !... et cela était dit sur un ton indéfinissable, comme à la fois scandalisée, mais d'une manière un tout petit peu feinte, inquiète, et un tout petit peu amusée. Elle ajouta, les lèvres tremblantes :

— Je ne te comprends pas.

— Oui, — continuai-je brutalement, — que je voulais qu'il me rendît mère.

— Qu'est-ce qui t'avait pris, mon pauvre petit ? — et cette fois sur un ton où le reproche dominait.

— Je ne sais pas. Une idée, comme ça, que j'avais eue.

— Et... qu'est-ce qu'il t'a répondu ? — Cette fois, c'était l'inquiétude.

— Il m'a dit que je parlais comme une enfant, une enfant indécente et folle; qu'il refusait de me prendre au sérieux, que...

— Que quoi encore ?

— Et qu'enfin il ne voulait pas, parce que...

— Parce que quoi ? Voyons, ne crains pas de parler.

— Parce qu'il aimait sa femme. Mais je comprends aujourd'hui, — ajoutai-je en la regardant fixement, — que ce n'était pas seulement pour cela.

— Peut-être, — dit-elle tout bas.

Il me parut que ses lèvres tremblaient. Ah ! combien plus respectables, plus authentiques surtout, que mes résolutions égoïstes, m'apparaissaient en ce moment les délicats sentiments inexprimés de ma mère, du docteur Marchant, de ma tante même, tous ces fils mystérieux et

fragiles tissés secrètement de cœur à cœur, que j'accrochais
à mon passage en poussant inconsidérément ma pointe...
C'est cela que j'aurais voulu lui dire avant de la quitter.
Mais elle mit un doigt non sur ses lèvres mais sur les
miennes, en souriant tendrement et avec un regard qui me
fit comprendre qu'il n'était pas besoin entre nous de plus
de paroles. Alors je la saisis dans mes bras, l'embrassai de
toutes mes forces. Elle me dit adieu.

Je ne devais plus la revoir.

TABLE DES MATIÈRES

BRODARD ET TAUPIN — IMPRIMEUR - RELIEUR
Paris-Coulommiers. — France.
05.417-IV-11-2103 - Dépôt légal n° 3948, 4ᵉ trimestre 1964.
LE LIVRE DE POCHE - 4, rue de Galliéra, Paris.